DESCOBRINDO OS CLÁSSICOS

NO ALTO DA SERRA

ÁLVARO CARDOSO GOMES

editora ática

No alto da serra

Gerente editorial Claudia Morales
Editor Fabricio Waltrick
Editora assistente Malu Rangel
Seção "Outros olhares" Thiago Moraes Fernandes Cruz
Coordenadora de revisão Ivany Picasso Batista
Revisora Cláudia Cantarin

ARTE
Editor Vinicius Rossignol Felipe
Diagramadora Thatiana Kalaes
Editoração eletrônica Hey Bro design
Pesquisa iconográfica Sílvio Kligin (coord.)
Ilustrações Fido Nesti
Samuel Casal (caricatura)

CIP-BRASIL. CATALOGAÇÃO NA FONTE
SINDICATO NACIONAL DOS EDITORES DE LIVROS, RJ

G612n

Gomes, Álvaro Cardoso, 1944-
No alto da serra / Álvaro Cardoso Gomes ; [ilustração Fido Nesti]. - São Paulo : Ática, 2010.
144p. : il. - (Descobrindo os Clássicos)

Contém apêndice e suplemento
ISBN 978-85-08-12663-7

1. Queirós, Eça de, 1845-1900. A cidade e as serras – Literatura infantojuvenil. I. Nesti, 1971. II. Título. III. Série.

09-2933 CDD: 028.5
CDU: 087.5

ISBN 978 85 08 12663-7 (aluno)
ISBN 978 85 08 12664-4 (professor)
Código da obra CL 736873

2017
1ª edição
5ª impressão
Impressão e acabamento: Edições Loyola

Av. Otaviano Alves de Lima, 4400 – CEP 02909-900 – São Paulo, SP
Atendimento ao cliente: 4003-3061 – atendimento@atica.com.br
www.atica.com.br

UM LIVRO QUE ATRAVESSA OS SÉCULOS

Ao escrever *A cidade e as serras* no começo do século XX – o livro foi publicado postumamente em 1901 –, Eça de Queirós vai na contramão dos sentimentos de sua época. A crítica à sociedade urbanizada, desenvolvida, que conta com a tecnologia a serviço do homem, parece descabida naquele momento de euforia moderna e burguesa. Pensava-se: um escritor que satiriza o progresso só poderia querer ser taxado de arcaico, de passadista. Ou, no mínimo, procurava uma desculpa para defender o atraso rural em que Portugal de então se encontrava.

O tempo, porém, veio trazer cada vez mais atualidade ao tema central de *A cidade e as serras*. Isso porque, mais do que o antagonismo entre a cidade e o campo, entre o urbano e o rural, o que Eça de Queirós parece querer prevenir são os descaminhos a que o culto cego à modernidade pode levar. Descaminhos que, de fato, foram comprovados algumas décadas mais tarde, com o agravamento da diferença de classes, com o abismo social e com a barbárie estabelecida pelo sistema capitalista.

Frente a esse cenário, *A cidade e as serras* ganha importância não apenas no cenário literário, mas como documento de um período histórico – e, devido à sua atualidade, também se transforma em uma espécie de oráculo das mudanças sociais que ocorreram nos últimos séculos.

A narrativa que começa nas próximas páginas, escrita por Álvaro Cardoso Gomes, revisita o clássico de Eça de Queirós e atualiza ainda mais algumas de suas principais questões. Ao acompanhar a aventura de João Fernando, Jayme, Nando e Lucinha é possível refletir sobre como vivemos em uma sociedade na qual o valor supremo é tudo o que o dinheiro pode comprar; uma sociedade automatizada, na qual os indivíduos não têm tempo (e, muitas vezes, nem interesse) para interagir com o próximo e com o mundo natural. Em tempos de atenção e de cuidados com o meio ambiente, discutir o impacto das metrópoles na natureza, criando consciência acerca desse tópico, é de extrema necessidade – e um grande exercício de cidadania.

Certamente, todos esses assuntos vão permear a leitura da narrativa que se inicia a seguir. Que ela seja feita com o espírito curioso e ávido por descobrir surpresas, estando elas entre as novidades altamente tecnológicas... ou extremamente rústicas e naturais.

Os editores

Os trechos de *A cidade e as serras* foram extraídos da edição publicada pela Ática na série Bom Livro (3ª edição, 1ª impressão).

SUMÁRIO

1 Os três mosqueteiros 9

2 O incrível caso "Jayme e Jacinto" 16

3 Mais semelhanças 25

4 As maravilhas do mundo moderno 31

5 A viagem 40

6 Primeiras providências 50

7 Lendo para meus amigos 59

8 A primeira expedição 68

9 A pescaria 79

10 Escrúpulo moral 90

11 Mal-estar 104

12 Febril 113

13 Em recuperação 117

14 A grande surpresa 129

Outros olhares sobre *A cidade e as serras* 135

• 1 •

Os três mosqueteiros

Nos últimos dias do mês de junho, quando ninguém mais estava pensando em aulas, em estudar ou em fazer provas, tivemos uma bela surpresa. É que a professora Nina inventou de pedir para a gente ler *A cidade e as serras*, do Eça de Queirós, durante as férias. E não adiantou nada o pessoal reclamar:

– Mas, profe, a gente tá cansado de tanto estudar, e a senhora vem passando tarefa pras férias! Isso não é justo... – choramingou a Maria Estela.

– O vestibular é só no ano que vem! A gente pode ler essa droga no segundo semestre! – protestou o Marcelo.

A professora Nina esperou a poeira baixar. Depois, nos encarou com aquele olhar divertido, muito próprio dela, e disse:

– Nada disso: o vestibular está aí! Quero começar o segundo semestre com essa leitura pronta para podermos trabalhar. Depois, não custa nada manter a cabeça ocupada com uma coisa útil durante as férias!

E ela ainda completou, dando uma risada:

– Afinal, vocês não vão querer ficar trinta dias só tomando sol, surfando e indo nas baladas, não é?

Muito indignado o Nando virou para mim, quase quebrando a carteira com o peso do seu corpo:

– Surfando, indo nas baladas, mergulhando, praticando rapel, trekking! Isso é que vou fazer. Se a teacher tá pensando que vou ler essa droga de livro e deixar de me divertir, tá muito enganada!

O Nando é um dos meus melhores amigos. Com 17 anos, tem um metro e noventa de altura e pesa mais de noventa quilos. Mas é de puro músculo. Um monstro. Capaz de arrebentar alguém com um só murro. Mas o Nando é a pessoa mais pacata do mundo. A não ser quando alguém o provoca ou se mete com seus amigos. Como aconteceu quando o Marcelo, por uma discussão à toa, invocou comigo. Não gosto de briga, aliás, detesto briga, mas não ia me acovardar com o idiota. Mesmo tendo certeza de que ia apanhar como cachorro vadio. Quando o Nando soube da história, chamou o Marcelo de lado e disse:

– Fiquei sabendo que você falou que vai pegar o Joãozinho na rua...

– É isso aí, vou dar umas porradas naquele vacilão.

– Você não vai dar porrada nele coisa nenhuma. Se encostar um dedo no Joãozinho, eu é que te encho a cara de porrada.

Nem preciso dizer que o Marcelo me deixou em paz. Fora em casos como esse, apesar de ser grande e muito forte, nunca vi o Nando se meter em briga. O seu negócio é praticar esportes radicais. Ler livros não combina com ele, estudar, nem se fala. Se não fosse a gente dar uma força para o Nando, coitado, ele ainda não tinha saído do ensino fundamental.

Para falar a verdade, acho que o Nando é meio burrão. Puxa vida, ele deve ter um cérebro de pedra ou um labirinto cheio de ar dentro da cabeça! Até hoje, por mais que eu explicasse, ele não conseguiu entender de jeito nenhum a diferença entre uma oração adjetiva e uma oração substantiva.

– As duas têm esse maldito "que", pô! Como é que vou saber a diferença? – reclamava, furioso, quando errava mais um exercício.

– São "quês" diferentes, cara! É só pensar um pouquinho – eu rebatia, dando um toc-toc em sua cabeça dura como uma rocha.

E lá ia ele sem saber a diferença entre uma adjetiva e uma substantiva... Com as outras matérias acontecia a mesmíssima coisa. Mas é impossível não gostar do Nando. É uma das pessoas mais generosas que conheço, sempre disposto a ajudar os amigos. Pacato desse jeito, só saía do sério quando os professores pediam coisas que ele achava despropositadas. Como aquela de ter que ler um livro inteirinho durante as férias! O Nando ficava furioso. Do seu ponto de vista, isso era uma provocação...

O negócio do Nando, como eu disse, é esporte radical. Assiste a quase todos os programas que passam nos canais esportivos. Gosta mesmo daquele aventureiro inglês, o Bear Grylls, que conta histórias incríveis de como sobreviver nos lugares mais inóspitos do planeta.

Eu já imaginava, portanto, que o Nando ia ficar maluco se tivesse que ler *A cidade e as serras* por conta própria. Dei um tapinha no ombro dele:

– Não esquenta não, mano, que te ajudo a ler o livro.

– Isso mesmo, Nando, o Joãozinho quebra seu galho – apoiou o Jayme.

O Jayme é outro grande amigo meu. Mas não sei exatamente qual é a dele. Ele vai superbem na escola, mas não gosta de nenhuma matéria em particular. Passa de ano quase sem estudar porque, além de ser inteligente, lê bastante. O Jayme é capaz de falar sobre qualquer coisa com a maior facilidade, mas parece que nada o prende de verdade. Durante algum tempo, sei que ele andou se interessando pela evolução da ciência, da tecnologia, da medicina. Leu vários livros sobre esses assuntos. Depois, acho que cansou. Hoje, para falar a verdade, não sei qual é seu tipo de leitura preferido. Não que ele reclame dos livros que a professora Nina indica. Lê os romances, os livros de poesia, mas sem mostrar muito entusiasmo.

O que parece que o Jayme anda curtindo atualmente é a internet. Passa horas navegando por sites de relacionamento, blogs e tudo o que estiver no mundo virtual. Até aí, todo mundo faz isso. Só que o caso do Jayme já é vício! Ele fica quase 24 horas conectado. Mas talvez essa onda passe logo, porque nunca vi pessoa mais instável. Quando se apaixona por algo, não existe outra coisa no mundo. Mas, como suas paixões são de curta duração, troca de hobbies, de leituras e de namoradas como quem troca de roupa...

Somos amigos inseparáveis. Os três mosqueteiros. Onde está um, estão os outros. Mas, como não é difícil perceber, somos bem diferentes. Ao contrário do Jayme e do Nando, leio tudo o que passa pelas minhas mãos. Gosto principalmente de literatura. Mas também leio sobre política e história, coisas que me interessam bastante. E até agora continuo firme com essa paixão. Tenho até uma pequena biblioteca em casa, com os livros do Eça de Queirós, do Machado de Assis, do Jorge Amado, do Mark Twain, do Edgar Allan Poe, do Leon Tolstói, do Gustave Flaubert, do Leo Huberman... E, falando com sinceridade, apesar de dar minhas caminhadas e nadar um pouco, não gosto de esportes radicais. Até navego pela internet para fazer minhas pesquisas da escola, mas não tenho paciência de ficar horas na frente do computador.

Somos também diferentes quanto ao dinheiro. Como meu pai não ganha muito, só estudo no São Gonçalo porque minha mãe é professora de matemática do ensino fundamental e, por isso, ganhei bolsa. O pai do Nando está numa situação financeira melhor do que o meu, mas paga a escola com muito sacrifício. Quanto ao Jayme, o que mais a família dele tem é dinheiro. E quando eu falo dinheiro, quero dizer muito dinheiro *mesmo*.

O pai do Jayme é dono da BIF – a Barcellos Indústrias de Fertilizantes –, uma das maiores fábricas produtoras de adubo do estado de São Paulo. Por isso mesmo, meu amigo sempre teve tudo o que quis e, provavelmente, sempre terá o que quiser na vida. Por exemplo: basta o Jayme dizer "Pai, me dá uma Harley-Davidson?" que, antes que alguém fale "paralelepípedo", o pai dele aparece com uma reluzente Road King Classic de 1584 cilindradas. Se eu pedir para meu pai me dar uma Yamaha 125 usada, ele é capaz de soltar uma risada e dizer, enfiando a mão no bolso:

– É pra já, garoto. Vou te dar o dinheiro. Só me traz o troco pra eu comprar o pãozinho pro café.

E o Jayme *tem* uma Harley, que ele ganhou no último aniversário, apesar de ter feito apenas 17 anos. Por enquanto, até atingir a maioridade, meu amigo só pode dirigir a moto no pátio da fábrica do pai. Durante algum tempo ele até curtiu bastante o novo brinquedo, mas logo cansou. E a Harley, por isso, fica guardada num dos galpões da fábrica. E parece que, ao completar 18 anos, o Jayme vai ganhar um carro. Uma BMW! E ele não está nem aí com a notícia...

Moramos todos muito próximos, no Tatuapé. Mas enquanto eu moro num sobradinho geminado na Serra do Japi, e o Nando num apartamento de três quartos na Vilela, a família do Jayme comprou um dúplex de cobertura, de oitocentos metros quadrados, no Anália Franco. Meu pai tem um Corsa velho, o do Nando, um Astra, e o do Jayme, uma Pathfinder, uma Mercedes, uma Ferrari, uma caminhonete Hylux...

Essa diferença não impede que a gente seja muito amigo. O Jayme não faz nenhuma questão de mostrar que é rico. E nem dá importância para as coisas que ganha. Eu soube da Harley-Davidson só porque um dia vi a mãe dele perguntar:

– Ô Jayme, como é, você não vai mais passear com a moto? Seu pai disse que você não tem aparecido na fábrica pra andar...

– Ah, mãe, uma hora eu vou...

– Desde que você ganhou a Harley, vi você andando com ela tão poucas vezes... – ela notou.

Não era de se esperar que um garoto que, aos 17 anos, ganhasse uma Harley-Davidson de presente fosse falar para todo mundo da novidade? Ou que passasse a maior parte do tempo andando com ela? Não o Jayme. Ele não liga para esse tipo de coisa. Por isso é que a gente tem uma amizade tão forte. Se ele fosse convencido, exibido, eu ia querer distância!

Então, como amigos inseparáveis, a gente não podia deixar o coitado do Nando na mão. Era nossa obrigação ajudá-lo a ler *A cidade e as serras* durante as férias. Como o pai do Jayme tinha uma casa em Ilhabela, combinamos de passar uma semana lá, curtindo a praia e lendo o livro. Assim, podíamos unir o útil ao agradável: além de Ilhabela ser uma maravilha, a gente ainda fazia o trabalho da escola juntos.

Na última aula antes das férias, acertamos os últimos detalhes:

– Quando é que vamos para a praia? – perguntei.

O Jayme pensou um pouco e propôs:

– Estava pensando em ir depois de amanhã. O que vocês acham?

– Pra mim, tá ótimo! – respondeu o Nando, para depois acrescentar: – E como é, o Pereira vai levar a gente?

– O Pereira não pode, tem que levar minha mãe pra Atibaia.

– Então vamos de busão?

– O meu pai disse que vai reservar o helicóptero da empresa pra levar a gente.

Ele falou aquilo com a maior naturalidade, como se o pai dele fosse reservar um dos carros para uma saída de fim de semana...

• 2 •

O incrível caso "Jayme e Jacinto"

Eu estava mesmo precisando de umas férias. Não porque estivesse estressado com a escola. Mas principalmente por causa da minha namorada, a Ana Cláudia, que tinha me dado o fora. Nos últimos tempos, ela me parecia muito estranha. Quando a gente saía, às vezes ficava calada, sem querer conversar, mantendo um silêncio que me deixava incomodado, já que eu não tinha ideia do que podia ter acontecido. Outras vezes, ela dizia que não queria sair, inventando uma desculpa qualquer. Eu lhe perguntava o que era e ela fazia um gesto com a mão:

– Não é nada não, Joãozinho, ando meio cansada.

Até que num dos nossos encontros a Ana, sem mais nem essa, me disse:

– João Fernando, queria te dizer uma coisa...

João Fernando... Normalmente a Ana Cláudia me chamava de Joãzinho. Se ela estava dizendo meu nome completo, era sinal de que a coisa estava mesmo feia. Ela continuou:

– ... acho que a gente devia dar um tempo.

Uma suspeita passou pela minha cabeça. Será que ela

estava a fim de outro cara? Afinal, o Júlio César não vivia dando em cima dela? Foi o que perguntei, e a Aninha me respondeu irritada:

– Larga de ser tonto, João! Não tem ninguém! Se quer saber, ainda gosto de você, mas, mesmo assim, acho que a gente devia dar um tempo... pra pensar nas coisas, na nossa relação...

Tentei argumentar, dizendo que também gostava dela e que queria continuar o namoro. Mas foi em vão. Só de olhar a expressão da Aninha, desisti. Quando as mulheres enfiam uma coisa na cabeça, não há como mudar. Principalmente a Aninha, que tem lá suas manias. Toda vez que a gente discute alguma coisa, eu perco. Ela usa um tipo de lógica contra a qual não há argumentos...

Mesmo gostando dela, aceitei que a gente desse um tempo. Era por isso que eu estava triste, apesar das férias de julho. Ainda bem que eu ia viajar com meus amigos. Assim, me distraía um pouco, deixava de pensar na Aninha, curtia uma praia, curtia o livro. Sobretudo, um livro do Eça de Queirós, escritor de quem gosto muito, pelo humor, pelo modo como retrata os personagens. Já tinha lido dele *O crime do padre Amaro*, *O primo Basílio*, *A relíquia* e *Os Maias*. Só faltava mesmo *A cidade e as serras*.

Quando chegou a véspera da viagem, comecei a arrumar minhas coisas. Como não poderia deixar de ser, minha mãe deu os conselhos de sempre: que tomasse cuidado com o sol, que não pulasse das pedras, que não entrasse no mar sem boia... Como um menino obediente, para não criar problema, disse sim a tudo, embora jamais eu fosse passar o ridículo de entrar no mar com uma boia! Já imaginou a gozação?

Como eu ainda tinha muito tempo pela frente, comecei a ler *A cidade e as serras*. Me acomodei na cama, apoiando as costas num travesseiro, e abri o livro. Já nas primeiras páginas fiquei sabendo que a história, contada por um tal de José Fernandes, era sobre um jovem bastante rico, o Jacinto. Dono de vastas extensões de terras em Portugal, ele vivia em um palacete, de número 202, na avenida Campos Elísios, em Paris. A família dele era bem antiga. Seu avô, um absolutista convicto, tomando o partido de dom Miguel (irmão de dom Pedro I, que havia lutado pelo trono de Portugal quando retornara do Brasil após ter proclamado a Independência), escolhera ir para o exílio, acompanhando o monarca que idolatrava. O pai do protagonista, também chamado Jacinto, quando morreu, ainda jovem, deixou ao filho único toda sua fortuna. Na sequência, Eça de Queirós traçava o retrato do personagem, que nasceu logo após a morte do pai:

> *Desde o berço, onde a avó espalhava funcho e âmbar para afugentar a* Sorte-Ruim, *Jacinto medrou com a segurança, a rijeza, a seiva rica dum pinheiro das dunas.*
>
> *Não teve sarampo e não teve lombrigas. As letras, a Tabuada, o Latim entraram por ele tão facilmente como o sol por uma vidraça. Entre os camaradas, nos pátios dos colégios, erguendo a sua espada de lata e lançando um brado de comando, foi logo o vencedor, o Rei que se adula, e a quem se cede a fruta das merendas. Na idade em que se lê Balzac e Musset nunca atravessou os tormentos da sensibilidade; – nem crepúsculos quentes o retiveram na solidão duma janela, padecendo dum desejo sem forma e sem nome. Todos os seus amigos (éramos três, contando o seu velho escudeiro preto, o Grilo) lhe conservaram sempre amizades puras e certas – sem que jamais a participação do seu luxo as avivasse ou fossem desanimadas pelas evidên-*

cias do seu egoísmo. Sem coração bastante forte para conceber um amor forte, e contente com esta incapacidade que o libertava, do amor só experimentou o mel (...). Rijo, rico, indiferente ao Estado e ao Governo dos Homens, nunca lhe conhecemos outra ambição além de compreender bem as Ideias Gerais; e a sua inteligência, nos anos alegres de escolas e controvérsias, circulava dentro das Filosofias mais densas como enguia lustrosa na água limpa dum tanque. (...) Ah! O âmbar e o funcho da Sr.ª D. Angelina tinham escorraçado do seu destino, bem triunfalmente e para sempre, a Sorte-Ruim*! (...)*

Por isso nós lhe chamávamos "o Príncipe da Grã-Ventura"!

Levantei os olhos do livro, pensando na expressão "Príncipe da Grã-Ventura", apelido dado ao Jacinto... Não sei por quê, mas me veio à cabeça a ideia de que o meu amigo Jayme se parecia bastante com o personagem de *A cidade e as serras*. Ambos tinham nascido em berço de ouro, sem preocupações de espécie alguma, como se tudo conspirasse para que fossem felizes. Desde que eu conhecia o Jayme, sempre reparava que ele usava o que havia de melhor. Quando garoto, me lembro bem disso, seus brinquedos eram de primeira, tudo coisa importada que o pai dele trazia nas muitas viagens que fazia ao exterior. Enquanto a gente estava sempre sem grana, o Jayme, ao contrário, andava com os bolsos cheios de dinheiro. E, generoso como era, fazia questão de pagar nossas entradas de cinema, os shows, os lanches nos melhores lugares de São Paulo...

O mais impressionante mesmo era a semelhança entre o caráter do Jacinto e o do Jayme, principalmente em três aspectos. O primeiro, ligado ao amor. O personagem criado pelo Eça de Queirós, não dando a mínima para a sensibilidade romântica da época, nunca se apaixonava, como eu li naquele trecho:

> *(...) Sem coração bastante forte para conceber um amor forte, e contente com esta incapacidade que o libertava, do amor só experimentou o mel (...)*

O Jayme era também assim: nunca se apaixonava. Parecia como uma pluma ao vento, ora saindo com uma garota, ora com outra. Olha, para ser sincero, não lembro de ele ter ficado mais que uma semana com a mesma garota.

– Amor?! Paixão?! Isso não significa nada. São palavras vazias – ele dizia, aparentando desprezo.

Mas eu sabia que não era desprezo. Era o jeito dele, sua maneira de encarar o amor como um sentimento sem muito compromisso. Mesmo sendo querido e desejado por quase todas as garotas do São Gonçalo.

Quanto a isso, o Nando e eu éramos bem diferentes do Jayme. Eu, como já contei, havia me apaixonado pela Ana Cláudia, minha primeira e única namorada. O Nando, por sua vez, namorava firme com a Lucinha. E que coisa mais engraçada essa namorada dele. Tinha quase a metade da altura do Nando e parecia uma bonequinha. Os dois formavam um par muito divertido: ele, gigante, ela, pequenininha. Como o namorado, a Lucinha também gostava de esportes radicais e de ginástica olímpica.

E o curioso é que a garota dominava o Nando, trazendo-o pelo cabresto e fazendo dele o que queria. Tanto era assim que, sendo ela uma ecologista radical, tinha acabado por converter o Nando. Nosso amigo agora só falava em camada de ozônio, emissão de poluentes, reciclagem, sociedade sustentável e por aí afora. Ainda bem que a Lucinha era uma garota legal, e que tinha conseguido enfiar dentro daquela cabeça de pedra os princípios de uma causa muito nobre. Ela fazia isso porque adorava o Nando, a quem chamava de... Bebê!

O outro aspecto que tornava o Jayme parecido com o Jacinto era o fato de ele não dar a mínima para política e para os problemas do mundo. Costumava dizer que "políticos eram todos ladrões" e que não adiantava a gente se preocupar com a miséria, porque era condição natural do homem "explorar e ser explorado".

Quantas discussões nós tivemos... Eu, sob influência das ideias do Leo Huberman, jornalista e escritor norte-americano que conheci graças a meu pai, tentava mostrar ao Jayme que havia muita gente miserável no mundo, devido ao capitalismo e à globalização. Por isso mesmo – eu argumentava – a gente, que constituía uma elite privilegiada, precisava se preocupar com os problemas sociais, com a desigualdade. Para completar, ainda dizia com veemência:

– Se você quer saber, o sistema capitalista é o grande responsável pela miséria humana, pelas desigualdades sociais!

Ele dava aquele seu sorriso irônico muito peculiar e dizia:

– Está bem, Joãozinho, você venceu e me convenceu. Vou pedir ao meu velho que venda as indústrias dele e distribua a grana entre os pobres do mundo...

– Estou falando sério, Jayme!

– Então, se é pra falar sério, vamos falar sério. Você culpa o capitalismo pela miséria, não é? Mas se esquece que esse mesmo capitalismo é o responsável pela expansão dos negócios, pela geração de riquezas, pela criação de empregos. Se meu pai fechasse suas fábricas e desse todo dinheiro que tem pros miseráveis, aí, sim, é que a miséria aumentaria, pela falta de empregos.

– Mas a gente tem que pensar nas consequências graves dessa "expansão de negócios": a emissão de poluentes, a contaminação do meio ambiente – rebati. – Pelo que eu sei, as indústrias, além de explorarem a mão de obra, acabam com as florestas, poluem os rios, matam os animais... O capitalismo, incentivando a produção desenfreada, está é contribuindo para a destruição do planeta!

– Mandou bem, Joãozinho! – o Nando e a Lucinha me aplaudiram.

O Jayme ficou em silêncio, como costumava fazer quando não queria falar mais sobre um assunto. Mesmo que esse assunto tivesse muito a ver com ele. Ou seja: apesar de seu pai ser dono de uma indústria enorme, ele parecia ficar alheio à questão, não lhe dando a devida importância.

Lembro que, uns meses atrás, o Nando, a Lucinha, eu e mais alguns colegas fomos com o Jayme até a fábrica para fazer um trabalho que tratava exatamente da relação entre a indústria e o meio ambiente. Como se tratava da escola do filho, seu Barcellos fez questão de mostrar pessoalmente as instalações, explicando todo o processo de produção e ouvindo com muita paciência nossas perguntas. A Lucinha e o Nando aproveitaram a ocasião para tratar da polêmica questão da emissão de poluentes:

– E como fica o meio ambiente? Pelo que a gente leu, as indústrias de fertilizantes são uma das que mais agridem a natureza.

– Vocês têm razão, é isso mesmo. As indústrias de fertilizantes, de adubos, são muito agressivas. Levando isso em consideração, estamos trocando todos os filtros da fábrica. Agora mesmo, acabamos de importar modernos modelos da Alemanha – seu Barcellos respondeu.

– E quanto ao rio que passa aí em frente? – perguntou o

Nando, enquanto fazia anotações num caderno. – Pelo que a gente pode perceber, está muito sujo. Por acaso o esgoto da fábrica não é tratado?

– Também vimos que logo ali, diante da fábrica, tem uma pequena favela – observou a Lucinha. – Essa gente não sofre com a emissão de gases poluentes, mesmo que a indústria troque os filtros? Outra coisa: o senhor não fica constrangido com essa situação?

Seu Barcellos começou a rir:

– Calma, calma, gente, um de cada vez – ele apontou para uma planilha enorme, pendurada na parede, e continuou a explicar. – Gostaria de lembrar a vocês que estamos atacando todos os problemas, mas obedecendo a uma programação. Em primeiro lugar, vamos cuidar dos filtros; depois, do desassoreamento do rio; e ainda há um plano de erradicação da favela, de reurbanização do bairro, com o nosso patrocínio...

Enquanto seu Barcellos explicava isso, o Jayme permaneceu calado o tempo inteiro, como se fosse indiferente àquelas questões. Por que ele nunca tinha comentado sobre as preocupações do pai com o meio ambiente? Por que não cooperava com aquele plano que era tão essencial? Quando voltamos, a Lucinha aproveitou para lhe fazer uma leve censura:

– Puxa vida, Jayme! Por que não contou pra gente que seu velho estava tão empenhado nisso? Confesso que devo bater palmas pro seu pai. Sempre pensei que ele não desse a mínima pro meio ambiente.

O Jayme agia assim por conta da sua personalidade. Do mesmo modo que o Jacinto, ele parecia não dar a mínima para o que acontecia ao seu redor. E esse seu modo de se comportar, para falar a verdade, me incomodava um pouco. O Jayme passava pela vida com um belo de um sorriso, como se nada do que nos preocupasse lhe dissesse respeito. Os operários eram explorados nas indústrias? Não é problema meu, porque não exploro ninguém... As grandes cidades estão sendo poluídas? Também não é problema meu, porque detesto sujeira e sempre jogo lixo no lixo...

Mas, em compensação, tanto o Jacinto como o Jayme eram pessoas muito corretas, decentes e que davam grande valor à amizade, sem se importar com as diferenças sociais. Como estava escrito em *A cidade e as serras*: "Todos os seus amigos (éramos três, contando o seu velho escudeiro preto, o Grilo) lhe conservaram sempre amizades puras e certas – sem que jamais a participação do seu luxo as avivasse ou fossem desanimadas pelas evidências do seu egoísmo".

O mesmo acontecia com o Jayme. Não me recordo de uma só vez ele ter nos humilhado ostentando riqueza, ou fazendo qualquer referência à nossa condição social mais modesta. E isso não era só com a gente. Com as outras pessoas – os empregados da sua casa, os funcionários da escola, os operários da fábrica do pai – ele era assim também: um garoto muito educado, respeitoso, chegando até a ser humilde no trato. A ponto de muito poucos, a não ser seus colegas, é claro, nem desconfiarem que fosse um milionário, futuro herdeiro de uma das maiores fortunas de São Paulo.

• 3 •

Mais semelhanças

Como o jeito do Eça escrever fosse muito divertido, interessante, e as semelhanças entre o Jacinto e o meu amigo Jayme parecessem incríveis, continuei a leitura, cada vez mais empolgado. Até que cheguei ao ponto em que José Fernandes, o narrador da história, contava qual era a filosofia de vida do personagem:

> *(...) Este Príncipe concebera a ideia de que o "homem só é superiormente feliz quando é superiormente civilizado". E por homem civilizado o meu camarada entendia aquele que, robustecendo a sua força pensante com todas as noções adquiridas desde Aristóteles, e multiplicando a potência corporal dos seus órgãos com todos os mecanismos inventados desde Terâmenes, criador da roda, se torna um magnífico Adão, quase onipotente, quase onisciente, e apto portanto a recolher dentro duma sociedade, e nos limites do Progresso (tal como ele se comportava em 1875) todos os gozos e todos os proveitos que resultam de Saber e Poder... (...)*
>
> *Este conceito de Jacinto impressionara os nossos ca-*

maradas de cenáculo, que (...) estavam largamente preparados a acreditar que a felicidade dos indivíduos, como a das nações, se realiza pelo ilimitado desenvolvimento da Mecânica e da Erudição. Um desses moços mesmo, o nosso inventivo Jorge Carlande, reduzira a teoria de Jacinto (...) a uma forma algébrica:

$$\left.\begin{array}{c}\textit{Suma ciência}\\ X\\ \textit{Suma potência}\end{array}\right\} = \textit{Suma felicidade}$$

E durante dias, do Odeon à Sorbona, foi louvada pela mocidade positiva a Equação Metafísica de Jacinto.

(...) E já a esse tempo, (...) ele se surtira da Pequena Enciclopédia dos Conhecimentos Universais *em setenta e cinco volumes e instalara, sobre os telhados do 202, num mirante envidraçado, um telescópio. (...)*

– (...) E desde já, pelo lado do olho portanto, eu, civilizado, sou mais feliz que o incivilizado, porque descubro realidades do Universo que ele não suspeita e de que está privado.

O Jayme, de certo modo, como o Jacinto, também se cercava de civilização por todos os lados. Tão logo descobria uma novidade eletrônica, numa das inúmeras revistas que assinava, procurava adquiri-la. Ele fazia isso com a desculpa de que tinha que ficar atualizado com o que havia de mais moderno no mundo.

– Do jeito que as coisas mudam, Joãozinho – me dizia sem pedantismo algum –, um computador, no espaço de poucos meses, logo vira sucata. E a gente tem que se reciclar, senão acaba ficando desatualizado.

Agora, lendo *A cidade e as serras*, eu entendia por que o Jayme tinha tanta necessidade de se atualizar. Como o Jacinto, meu amigo acreditava que o homem precisava potencializar ao máximo suas capacidades com a ajuda da ciência e da tecnologia, para melhor dominar a natureza. E, desse modo, a felicidade.

É bem verdade que o Jayme não falava disso assim tão claramente como o personagem do Eça. Mas não era muito difícil perceber que os dois pensavam de maneira parecida. E a semelhança deles não parava por aí. Por exemplo: ambos, adeptos da civilização e da modernidade, tinham mais amor pela cidade do que pelo campo. No trecho que eu lia agora, o José Fernandes explicava o ponto de vista de Jacinto sobre o assunto:

> *Por uma conclusão bem natural, a ideia de Civilização, para Jacinto, não se separava da imagem de Cidade (...). Nem este meu supercivilizado amigo compreendia que longe de armazéns servidos por três mil caixeiros; e de Mercados onde se despejam os vergéis e lezírias de trinta províncias; e de Bancos em que retine o ouro universal; e de Fábricas fumegando com ânsia, inventando com ânsia; e de Bibliotecas abarrotadas, a estalar, com a papelada dos séculos; e de fundas milhas de ruas, cortadas, por baixo e por cima, de fios de telégrafos, de fios de telefones, de canos de gases, de canos de fezes; e da fila atroante dos ônibus, tramas, carroças, velocípedes, calhambeques, parelhas de luxo; e de dois milhões duma vaga humanidade, fervilhando, a ofegar, através da Polícia, na busca dura do pão ou sob a ilusão do gozo – o homem do século XIX pudesse saborear, plenamente, a delícia de viver! (...)*

E depois (acrescentava) só a Cidade lhe dava a sensação, tão necessária à vida como o calor, da solidariedade humana. E no 202, quando considerava em redor, nas densas massas do casario de Paris, dois milhões de seres arquejando na obra da Civilização (para manter na natureza o domínio dos Jacintos!), sentia um sossego, um conchego, só comparáveis ao do peregrino, que, ao atravessar o deserto, se ergue no seu dromedário, e avista a longa fila da caravana marchando, cheia de lumes e de armas...

Analisando o ponto de vista do narrador, eu chegava à conclusão de que o Jacinto via a cidade como se fosse um ser animado, cheio de vida, com os órgãos perfeitamente interligados. Obtendo, com maior facilidade, os bens necessários à sobrevivência, o homem da cidade encontrava ali o seu hábitat perfeito. Já no campo, o ser humano sentia-se desprotegido e solitário, pois a natureza nunca era solidária e, ainda por cima, desprezava sua inteligência, sua sensibilidade. Sem contar que, vivendo na natureza, o homem era reduzido aos seus instintos mais primitivos, à vontade de comer e procriar, como os animais irracionais:

Ao contrário no campo, entre a inconsciência e a impassibilidade da Natureza, ele tremia com o terror da sua fragilidade e da sua solidão. Estava aí como perdido num mundo que lhe não fosse fraternal (...). Depois, em meio da Natureza, ele assistia à súbita e humilhante inutilização de todas as suas faculdades superiores. (...) Toda a intelectualidade, nos campos, se esteriliza, e só resta a bestialidade. Nesses reinos crassos do Vegetal e do Animal duas únicas funções se mantêm vivas, a nutriti-

> *va e a procriadora. Isolada, sem ocupação, entre focinhos e raízes que não cessam de sugar e de pastar, sufocando no cálido bafo da universal fecundação, a sua pobre alma toda se engelhava, se reduzia a uma migalha de alma, uma fagulhazinha espiritual a tremeluzir, como morta, sobre um naco de matéria (...). Ao cabo duma semana rural, de todo o seu ser tão nobremente composto só restava um estômago e por baixo um falo! A alma? Sumida sob a besta. E necessitava correr, reentrar na Cidade, mergulhar nas ondas lustrais da Civilização, para largar nelas a crosta vegetativa, e ressurgir reumanizado, de novo espiritual e Jacíntico!*

A comparação entre o protagonista do romance e meu amigo, pelo menos para mim, parecia bem possível. Como o Jacinto, o Jayme curtia demais a cidade. Vivia tão bem nela como um peixe dentro d'água. Para ele, ficar sem os belos edifícios de vidro espelhado, sem o movimento apressado nas ruas, dispensar shoppings, grandes lojas de eletrônicos, cinemas e teatros era uma loucura. Quanto à natureza, sim, ele gostava de natureza. Mas de natureza domesticada. Como confessou para mim, achava bonitos um jardim, um pequeno bosque, um vaso de flores, uma paisagem pintada num quadro. Fora isso, tinha horror do campo:

– Ser picado por insetos e pinicado por espinhos? Pisar em barro e em cocô de vaca? Ficar com todos os músculos doendo por causa de subidas e descidas em trilhas tortuosas? Só você mesmo... – falava, balançando a cabeça, quando o Nando vinha convidá-lo para dar uma caminhada nas montanhas da serra do Mar.

E, por incrível que pareça, nem praia o Jayme curtia. Se, durante a vida toda, tinha ido umas três vezes para a sua casa em Ilhabela, era muito. Pisar na areia, mergulhar, passar horas brincando no mar... não era com ele.

– Um saco – costumava dizer –, ficar torrando no sol, todo besuntado de creme e sujo de areia, sentindo o gosto de água salgada... não é comigo. Pra que passar calor se já inventaram o ar-condicionado? Pra que ir até o mar se aqui na cidade tenho uma piscina?

Como gostava de contar, Jayme tinha verdadeira adoração pelas belas cidades do mundo. Visitar Nova York, Paris, Viena, Florença, Roma chegou a ser seu grande hobby por algum tempo (e logo, claro, como de costume, enjoou disso também).

Era estranho, então, Jayme ter proposto ir com a gente para Ilhabela. Acredito que era só para curtir nossa companhia, já que o Nando e eu íamos, de qualquer jeito, sumir de São Paulo nas férias. E, depois, não custava nada dar uma mãozinha para o coitado do Bebê.

O relógio da sala deu algumas badaladas. Quase 11 da noite e eu ainda nem tinha jantado! Como meus pais tinham ido visitar um parente em Jundiaí, me disseram para esquentar a janta no micro-ondas quando eu sentisse fome. Mas, entretido com a leitura do romance e com a incrível semelhança entre o Jacinto e o Jayme, havia esquecido até de comer!

Meu estômago roncou. Me espreguicei: puxa vida, há quanto tempo não lia um livro que prendesse tanto minha atenção! Levantei da cama de um salto: agora era capaz de comer todo o frango assado que me esperava na cozinha.

• 4 •
As maravilhas do mundo moderno

No outro dia bem cedo, conforme o combinado, fiquei esperando que o motorista do pai do Jayme viesse me pegar em casa. Como ele estava demorando, peguei *A cidade e as serras* e continuei a ler. Fiquei sabendo então que o José Fernandes tinha voltado a Portugal para resolver problemas familiares. Um ano depois, retornando a Paris, ficou espantadíssimo com as novidades tecnológicas que o Jacinto havia instalado em seu palacete:

> *Mas dentro, no peristilo, logo me surpreendeu um elevador instalado por Jacinto – apesar do 202 ter somente dois andares, e ligados por uma escadaria tão doce que nunca ofendera a asma da Sr.ª D. Angelina! (...) Na antecâmera, onde desembarcamos, encontrei a temperatura macia e tépida duma tarde de Maio, em Guiães. Um criado, mais atento ao termômetro que um piloto à agulha, regulava destramente a boca dourada do calorífero. E perfumadores entre palmeiras, como num terraço santo de Benares, esparziam um vapor, aromatizando e salutarmente umedecendo aquele ar delicado e superfino.*

Eu murmurei, nas profundidades do meu assombrado ser:

– Eis a Civilização! (...)

Subitamente, a um canto, repicou a campainha do telefone. E enquanto o meu amigo, curvado sobre a placa, murmurava impaciente "Está lá? – Está lá?", *examinei curiosamente, sobre a sua imensa mesa de trabalho, uma estranha e miúda legião de instrumentozinhos de níquel, de aço, de cobre, de ferro, com gumes, com argolas, com tenazes, com ganchos, com dentes, expressivos todos, de utilidades misteriosas. (...) Nesse instante rompeu de outro canto um tique-tique açodado, quase ansioso. Jacinto acudiu, com a face no telefone:*

– Vê aí o telégrafo!... Ao pé do divã. Uma tira de papel que deve estar a correr.

Comecei a rir. O Eça era mesmo engraçado: por meio do José Fernandes, sutilmente criticava um tipo de pessoa, como o Jacinto, que se cercava de tudo quanto era mais moderno apenas pela novidade em si. Como se isso fosse um vício difícil ou impossível de largar. O elevador era inútil, já que a casa tinha só dois andares. E, ainda por cima, um elevador provido de divã, charutos e livros! Imaginei alguém sentado naquele sofá, consultando um guia de Paris e acendendo um charuto num espaço de tempo de sete segundos...

O mesmo acontecia com as notícias que o Jacinto recebia pelo telégrafo. A do navio russo que chegava em Portugal com alguns estragos parecia um bom exemplo disso. Meu Deus, para que servia essa notícia? Para que servia saber as horas de todos os planetas? Só para se manter atualizado? Só para mostrar uma tola superioridade sobre quem não tinha acesso a essas informações?

Parei um pouco de ler e refleti que *A cidade e as serras* era um livro bastante atual. Afinal, hoje as pessoas têm problemas parecidos com os de Jacinto. Ou seja: sofrem devido ao excesso de informações. Em vez de se beneficiar, as pessoas ficam desorientadas, sem saber tirar real proveito do que a internet e a mídia oferecem. A quantidade enorme de notícias que a gente recebe todos os dias, em vez de nos ajudar, só atrapalha e cria confusão. Sobre política, cultura, esporte, moda, sexo, fofocas... Haja cérebro para captar e interpretar tanta coisa.

E o acúmulo de ofertas de aparelhos que ninguém vai usar? Máquinas de fazer pão, de fazer sorvete, de café expresso, máquinas para emagrecer, para tonificar os músculos... Lendo a história de Jacinto, eu ia percebendo que esse desejo doentio do homem, de andar passo a passo com as últimas notícias e com as novas tecnologias, vinha de longe. Mesmo que isso nem sempre fosse útil ou resultasse em algum benefício, como o Eça procurava demonstrar no romance.

Lembrava então do Jayme, que costumava dizer que a gente precisa ficar atualizado com o que havia de mais moderno, e sorria...

Voltei à leitura, e mergulhei num trecho em que o Zé Fernandes comentava sobre as demais comodidades do palacete de Jacinto:

> *Mas eu preferi inventariar o gabinete, que dava à minha profanidade serrana todos os gostos duma iniciação. Aos lados da cadeira de Jacinto pendiam gordos tubos acústicos, por onde ele decerto soprava as suas ordens através do 202. (...) Sobre uma banquinha, e refletida no seu verniz como na água dum poço, pousava uma Máquina de escrever; e adiante era uma imensa Máquina*

de calcular, com fileiras de buracos de onde espreitavam, esperando, números rígidos e de ferro. Depois parei em frente da estante que me preocupava, assim solitária, à maneira duma torre numa planície, com o seu alto farol. Toda uma das suas faces estava repleta de Dicionários; a outra de Manuais; a outra de Atlas; a última de Guias, e entre eles, abrindo um fólio, encontrei o Guia das ruas de Samarcanda. Que maciça torre de informação! (...) A Natureza convergia disciplinada ao serviço do meu amigo e entrara na sua domesticidade!...

Jacinto atirou uma exclamação impaciente:

– Ó, estas penas elétricas!... Que seca! (...)

E logo uma Voz, muito mansa, mas muito decidida, aproveitando a minha curiosidade para me invadir e se apoderar do meu entendimento, sussurrou capciosamente:

– ..."E assim, pela disposição dos cubos diabólicos, eu chego a verificar os espaços hipermágicos!..."

Pulei com um berro.

– Ó Jacinto, aqui há um homem! Está aqui um homem a falar dentro duma caixa!

O meu camarada, habituado aos prodígios, não se alvoroçou:

– É o Conferençofone... Exatamente como o Teatrofone; somente aplicado às escolas e às conferências. Muito cômodo!... Que diz o homem, Zé Fernandes?

Como antes, reparei que, em sua ironia, o narrador continuava apontando para os excessos, para a inutilidade das coisas amontoadas no palacete do Jacinto. Como o guia com as ruas de Samarcanda, cidade no Uzbequistão... Parecia que, com isso, havia uma crítica ao homem que tinha uma necessidade absurda de dominar a natureza. Acumulando bens, adquirindo novidades tecnológicas... Mas de maneira ridícula e quase cômica, porque quase tudo resultava inútil! Ri muito com a reação do Zé Fernandes, espantado com o tal do "conferençofone", um rústico antepassado das nossas videoconferências...

Meu amigo Jayme não ficava muito atrás do Jacinto, mesmo que numa escala mais modesta. Havia em seu quarto um computador muito potente, de última geração, sem contar com a enorme tevê de plasma. Seu celular também era moderníssimo. Sem falar no iPod, que ele mal usava, e era capaz de armazenar um sem-fim de músicas!

No tempo em que se interessou por astronomia, o Jayme ganhou de presente um telescópio, e com ele podia investigar as crateras da Lua, os canais de Marte, as manchas solares. Uma vez, entrei no quarto dele e perguntei:

– E o telescópio? Tem observado muitas estrelas?

Ele coçou a cabeça:

– Ah, o telescópio... Pra te falar francamente, faz um tempão que não mexo nele... Também, com o céu poluído de São Paulo...

E o mesmo tinha acontecido com os dois ou três microscópios de precisão que possuía, com o laboratório de química que havia sido sua paixão durante algumas semanas, com a maravilhosa série de filmes sobre história natural que atulhavam suas estantes e que nunca haviam sido vistos... (inclusive, quando o Jayme enjoou de sua coleção de DVDS, pediu ao pai para instalar, numa das várias salas do apartamento, um cinema especial. Tão especial que a gente podia ver, on-line, numa tela enorme, os grandes lançamentos dos Estados Unidos, antes que estreassem nos cinemas do Brasil... Mas essa moda, como as outras, passou rapidamente. O que viria a seguir?) Era assim o Jayme: suas paixões mudavam constantemente, o que fazia com que ele se tornasse obcecado por novidades... Como o Jacinto.

Olhei no relógio: quase dez horas, e nada de o motorista chegar. E eu que tinha acordado às sete da manhã... Bom, pelo menos tinha avançado bastante com o Eça de Queirós. Como desconfiava, logo reparei que o Jacinto não era nada feliz com o que tinha, pois parecia sempre insatisfeito. Isso porque as máquinas, as invenções com que atulhava seu palacete, em vez de servi-lo, se voltavam contra ele:

> *E foi justamente numa dessas noites (um sábado) que nós passamos, naquele quarto tão civilizado e protegido, por um desses brutos e revoltos terrores como só os produz a ferocidade dos Elementos. Já tarde, à pressa (jantávamos com Marizac no clube para o acompanhar depois ao* Lohengrin *na Ópera) Jacinto arrochava o nó da gravata branca – quando no lavatório, ou porque se rompesse o tubo, ou se dessoldasse a torneira, o jato de água a ferver rebentou furiosamente, fumegando e silvando. Uma névoa densa de vapor quente abafou as luzes – e, perdidos nela, sentíamos, por entre os gritos do escudeiro e do Grilo, o jorro devastador batendo os muros, esparrinhando uma chuva que escaldava. Sob os pés o tapete ensopado era uma lama ardente. E como se todas as forças da natureza, submetidas ao serviço de Jacinto, se agitassem, animadas por aquela rebelião da água – ouvimos roncos surdos no interior das paredes, e pelos fios dos lumes elétricos sulcaram faíscas ameaçadoras! Eu fugira para o corredor, onde se alargava a névoa grossa. Por todo o 202 ia um tumulto de desastre. (...)*

Domada a água, clareada a bruma, vim encontrar Jacinto no meio do quarto, em ceroulas, lívido:

– Ó Zé Fernandes, esta nossa indústria!... Que impotência, que impotência! Pela segunda vez, este desastre! E agora, aparelhos perfeitos, um processo novo...

– E eu encharcado por esse processo novo! E sem outra casaca!

No que dizia respeito à alimentação, o Jacinto parecia estar completamente saciado dos excessos de seus almoços e jantares. As comidas exóticas, com seu aspecto decorativo, serviam apenas para encantar os olhos, em vez de despertar o apetite:

Mas já eu me começava a inquietar, reparando que a cada talher correspondiam seis garfos, e todos de feitios astuciosos. E mais me impressionei quando Jacinto me desvendou que era um para as ostras, outro para o peixe, outro para as carnes, outro para os legumes, outro para as frutas, outro para o queijo. Simultaneamente, com uma sobriedade que louvaria Salomão, só dois copos, para dois vinhos: – um Bordéus rosado em infusas de cristal, e Champanhe gelando dentro de baldes de prata. Todo um aparador porém vergava sob o luxo redundante, quase assustador de águas – águas oxigenadas, águas carbonatadas, águas fosfatadas, águas esterilizadas, águas de sais, outras ainda, em garrafas bojudas, com tratados terapêuticos impressos em rótulos.

(...)

Desejei então conhecer o jantar do Psicólogo e do Simbolista – traçado, ao lado dos talheres, em tinta verme-

lha, sobre lâminas de marfim. Começava honradamente por ostras clássicas, de Marennes. Depois aparecia uma sopa de alcachofras e ovas de carpa...

– É bom?

Jacinto encolheu desinteressadamente os ombros:

– Sim... Eu não tenho nunca apetite, já há tempo... Já há anos. (...)

Parei de ler e voltei a refletir: como alguém podia ter apetite comendo pratos extravagantes todos os dias? Esse era o caso do Jacinto. E talvez do Jayme. Será que eu já tinha visto meu amigo comer alguma coisa com gosto? Como fazia o Nando, por exemplo, capaz de destroçar quase um pernil inteiro sozinho. Ou como eu que, mesmo não tendo o apetite do Bebê, também gostava bastante de comer.

Foi então que me lembrei da vasta geladeira de portas duplas do apartamento do Jayme, que fazia a alegria do Nando. Lá dentro tinha um mundo, e até coisas que eu nunca tinha visto e experimentado na vida: sorvetes de todas as espécies, sobremesas diversas, vários tipos de iogurte, hambúrgueres temperados com ervas, com bacon, potinhos de caviar, camarões-pistola, lagostas inteiras... Nos armários, havia queijos dos mais diferentes, salames, pães, bolos, bebidas de tudo quanto é tipo. E quantas vezes não peguei meu amigo abrindo a geladeira ou o armário e olhando aquelas maravilhas com o maior desânimo.

Não era à toa que o Jayme não tivesse uma aparência saudável. Branco que nem papel e muito magro, por falta de exercícios e acho também que por falta de uma alimentação adequada, ele tinha pouca resistência. Nas poucas vezes que aceitava sair com a gente para caminhar, logo ficava cansado. Coberto de suor, sentava na grama – depois de inspecionar bem se não havia formigas ou barro. Quando o Nando o xingava de "lesma", "moleza", porque ele se recusava a dar mais um único passo, o Jayme retrucava com um sorriso:

– Me fala uma coisa, ô troglodita!, por que o homem inventou o carro? Exatamente pra isso, pra gente não ter que fazer esforços inúteis.

Não era questão de fazer esforços inúteis. Nisso eu concordava com o Nando. Era questão de tornar o corpo um pouco mais saudável... Mas o Jayme era irredutível: pra que se esforçar? Pra que se bronzear? Pra que tomar ar fresco? Não era melhor ficar confortavelmente instalado numa poltrona, protegido por vidros, cortinas, sob a deliciosa temperatura proporcionada pelo ar-condicionado?

Se ainda assim o Jayme fosse uma pessoa feliz... Não sei não, mas ele sempre me parecia inquieto, insatisfeito. De vez em quando, olhava para meu amigo e via que ele tinha um ar indiferente, como se nada que fizesse valesse a pena. Cercado de tudo quanto era conforto, novidades e carinho, eu tinha certeza de que o Jayme, mesmo assim, não estava de bem com a vida. Desconfio que faltasse um objetivo definido: o amor por alguma garota, a curiosidade em descobrir algo novo que o interessasse de verdade, um projeto de trabalho...

Eu estava pensando nisso quando minha mãe veio me avisar que o motorista do pai do Jayme já tinha chegado.

• 5 •

A viagem

Passamos na casa do Nando que, carregado com uma enorme mochila, aguardava a gente com a Lucinha.

– Qual é a sua? – perguntei. – Vai pra guerra, cara?

– Nunca se sabe, né? – disse o Nando, dando de ombros.

– É o *lanchinho* dele – comentou a Lucinha, dando uma gargalhada.

Em seguida, o motorista nos levou até a fábrica do pai do Jayme, onde íamos embarcar no helicóptero rumo à Ilhabela. Chegamos ao heliporto, onde encontramos a aeronave já com o motor ligado.

– E aí, pessoal, vamos entrando? – convidou o Jayme, que já tinha se acomodado.

Mas, antes que o helicóptero partisse, apareceu um funcionário empurrando um carrinho com algumas caixas.

– Ô Demerval, pra que é isso? – perguntou o Jayme.

– O doutor Barcellos pediu pra vocês entregarem pro caseiro na praia. Acho que são ferramentas, panelas, uma cesta básica...

Depois que todos se acomodaram, o helicóptero levantou voo e foi ganhando altura rapidamente. Era a primeira vez que eu voava. Por isso mesmo, estava muito animado ao ver São Paulo do alto. Lá de cima, enxergava as Marginais entupidas de carros, caminhões, ônibus, todos lançando fumaça preta pelos escapamentos. O rio Pinheiros e o rio Tietê pareciam duas cobras viscosas de sujeira se arrastando vagarosamente.

À medida que a gente deixava a cidade, os prédios e casas eram substituídos por galpões. Em seguida, vinham os bairros de periferia, cheios de pequenas casas apertadas umas contra as outras e separadas por ruelas estreitas. Francamente: São Paulo, do alto, parecia horrível! Dava pra ver que tinha pouco verde nas ruas... só de vez em quando aparecia uma pracinha. O asfalto cinza dominava a paisagem.

Não demorou muito, apareceram as rodovias Dutra e Ayrton Senna. Pouco a pouco, me deixei encantar pelo poder da tecnologia. Era mesmo um conforto viajar de helicóptero. Num carro, talvez ainda estivéssemos presos no trânsito pesado da Marginal, sem ter para onde escapar. O progresso tinha seu lado bom: servia para poupar tempo.

Mas o problema era saber o que fazer com o tempo poupado. Trabalhar mais, como, por exemplo, o pai do Jayme, que não saía de sua fábrica? E trabalhar para quê? Para acumular mais e mais riqueza? Para consumir mais objetos inúteis? Para destruir o verde, poluir os rios...?

A visão das primeiras montanhas da serra do Mar me distraiu desse pensamento. Era um alívio deixar para trás a montoeira de casas, prédios, galpões, barracos, viadutos, veículos e avenidas congestionadas. Passando sobre o verde exuberante, via muitos pés de manacá, ipês-roxos e ipês-amarelos que cresciam nas encostas dos morros. Em meio à vegetação, corriam riachos de águas límpidas ou despontava a espuma de uma pequena cachoeira, que, sob o efeito da luz do sol, criava belos arco-íris.

Junto a uma das janelas, abraçados, o Nando e a Lucinha olhavam maravilhados para baixo.

– Que lindo, né, Bebê? – ela murmurava encantada.

O Jayme, por sua vez, parecia indiferente àquela beleza. Será que ele estava fingindo? Não era possível! Mesmo o maior defensor do concreto, dos arranha-céus espelhados, não podia deixar de se encantar com a variedade colorida da vegetação, com a incrível beleza da natureza, livre da poluição, livre da mão nefasta do homem!

Estava imerso nesses pensamentos poéticos, quando, de repente, tive a impressão de que o piloto baqueou, batendo com a cabeça no painel. O helicóptero, que passava por uma montanha, atrás da qual havia um grande e fundo vale, deu um forte tranco. Em seguida, mudou repentinamente de direção, virando totalmente para a esquerda. Senti um calafrio. Olhei para meus amigos, que também estavam tensos.

– Ô Alencar, o que aconteceu? – perguntou o Jayme, se adiantando e se dirigindo ao piloto.

O piloto não respondeu e continuou com o corpo naquela posição estranha: a cabeça jogada para a frente, os braços largados ao longo do corpo. O helicóptero começou a perder altura. Assustado, o Jayme pôs a mão no ombro do piloto e começou a sacudi-lo:

– Cara, o que aconteceu?

A cabeça do Alencar, então, como se fosse a de um boneco desengonçado, caiu para o lado, e ele só não estatelou no chão devido ao cinto de segurança. Desesperados, vimos que o helicóptero descia vertiginosamente, girando sobre si mesmo, totalmente fora de controle. Alguma coisa tinha acontecido ao piloto, talvez um ataque cardíaco. E agora, a aeronave estava caindo.

– Faz alguma coisa! – o Nando berrou para o Jayme. – Pega o manche!

– Nunca mexi nisso! – respondeu ele, em desespero.

– Então, seja o que Deus quiser! – disse o Nando, de um jeito muito calmo. Em seguida, nos deu algumas instruções: – Abaixem a cabeça de encontro ao peito e segurem-se com o máximo de firmeza possível.

Ao mesmo tempo, envolveu a Lucinha, que já soluçava, muito assustada. E eu não estava menos apavorado. Tremia de medo, pensando que minha hora havia chegado. Já tinha lido que as quedas de helicópteros costumavam ser fatais para os tripulantes. Mesmo assim, obedeci ao Nando, inclinando o corpo e levando a cabeça de encontro ao peito. E fechei os olhos, esperando pelo pior.

Não demorou muito, um choque violento me jogou para o lado e me fez bater a cabeça contra a o vidro da janela. Dei um berro, que se misturou aos berros dos meus amigos. O ruído pavoroso das pás da hélice, batendo contra o que me pareceu ser a copa de uma árvore, me fez abrir os olhos. Senti algo escorrendo pela testa e um gosto adocicado na boca. O helicóptero gemeu, estremecendo todo e como querendo se libertar dos galhos da árvore que o mantinham preso. E, de repente, quase tudo silenciou. Só se ouvia o ruído do vento e das ferragens desengonçadas que guinchavam assustadoramente.

– E aí, pessoal? – disse o Nando, ainda abraçado a Lucinha, que continuava a soluçar. – Tá todo mundo bem?

– Comigo, tudo em ordem – balbuciou o Jayme.

Como eu estava um pouco tonto, demorei para responder. E ouvi minha própria voz, como se ela viesse de muito longe:

– Eu... eu... tô legal...

O Nando deu um suspiro de alívio e disse:

– Então, vamos sair desta joça.

O Jayme levantou-se rapidamente de onde estava, e o helicóptero gemeu de novo.

– Devagar, cara! – exclamou o Nando.

Começamos a tirar o cinto de segurança com bastante cuidado. Reparei que o helicóptero estava precariamente apoiado sobre os galhos de uma grande árvore que crescia junto a um barranco, no meio de um morro. Gelei quando vi que, abaixo de nós, havia um fundo despenhadeiro, cheio de pedras, por onde corria um riozinho.

O Nando pegou o extintor de incêndio, quebrou o vidro da janela ao seu lado e explicou:

– Primeiro vai a Lucinha. Com cuidado, meu amor. Sobe neste galho e tenta chegar no barranco.

Ela fez o que o Nando mandou. Muito ágil, num instante passava da árvore para o barranco, que, na verdade, era uma pequena plataforma de rochas e vegetação escavada no morro, acima do abismo.

– Agora, um de vocês.

Eu estava paralisado de medo. De vez em quando, o helicóptero estremecia todo, ameaçando cair, o que só servia para me deixar mais apavorado ainda.

– O Jayme pode ir – eu disse com a voz pastosa.

– Vai você primeiro, que está ferido.

– Por isso mesmo. Prefiro me recuperar um pouco – tornei a falar.

Não era só dor que eu sentia na cabeça, mas também um enjoo muito grande. Tinha medo de não conseguir me equilibrar sobre a árvore e chegar ao barranco naquele estado.

O Jayme passou pela janela e se apoiou no galho. Com a ajuda da Lucinha, que lhe estendia a mão, pulou para o barranco. Era a minha vez. Fechei os olhos e respirei fundo, tremendo de pavor. Como continuasse naquela hesitação, temendo, quem sabe, deixar a precária segurança de meu banco, o Nando me pegou pelo braço e disse:

– Vamos lá, amigão.

Eu não podia mais vacilar daquele jeito, pois ia comprometer minha vida e a vida do Nando. Respirei fundo, pus minha mochila nas costas e passei pela janela. Com dificuldade, me equilibrei sobre o galho. Agarrando aqui e ali, ajudado pelos amigos, escalei o barranco. Dei um suspiro de alívio quando me vi sobre terra firme.

O Nando vinha logo atrás de mim, mas de repente ele parou, como se lembrasse de algo muito importante:

– Preciso pegar umas coisas lá dentro.

– Não faz isso, não, amor! – gritou a Lucinha, aflita. – Vem logo, que isso vai cair!

Sem dar ouvidos à namorada, ele retornou ao helicóptero. A aeronave deu um gemido mais fundo e balançou toda.

– Sai logo daí, Nando! – berrou o Jayme.

O Nando pôs a cara para fora do helicóptero e foi acomodando, sobre os galhos, caixas, a mochila dele e algumas outras coisas. Em seguida, forte como era, jogou tudo na nossa direção. Apesar dos nossos apelos, ele tornou a entrar no helicóptero e foi até o piloto. Nisso, o aparelho deu um guincho horrível e inclinou-se perigosamente para um dos lados. A copa da árvore começou a vergar e a estalar sob o peso da aeronave.

– Nando! Pelo amor de Deus! – gritou a Lucinha, em desespero.

O Nando pulou a janela em direção do galho, mas de repente olhou para trás, como se estivesse em dificuldade. Para nosso horror, reparamos que ele tinha prendido o pé no cinto de segurança do helicóptero. O Nando gemeu de dor, retesou os músculos e tentou se soltar. Em pânico, víamos nosso amigo prestes a cair despenhadeiro abaixo com o helicóptero e a copa da árvore.

Para a sorte do Nando, antes que isso acontecesse, a aeronave virou um pouco de lado, e ele pôde libertar o pé. Mas ainda corria risco, pois agora estava dependurado no galho, que pendia todo para baixo. Ele, então, num movimento bem ágil, largou do galho e dependurou-se em uns cipós que pendiam do barranco. Eu, a Lucinha e o Jayme nos esticamos todos e o agarramos pela camisa, pelos braços. Bem a tempo! Com um enorme estrondo, a copa da árvore quebrou de vez, e o helicóptero caiu no abismo.

Começamos a puxar o Nando para cima. Como ele pesava! Eu não via nada direito, porque o sangue continuava a escorrer pela minha cara. Mesmo assim, não largava da camisa do Nando. Pouco a pouco, ele foi se erguendo, até conseguirmos segurá-lo pela cintura e arrastá-lo para longe da beira do barranco. O Nando ficou deitado de costas, com o rosto contraído de dor.

– O que foi, Bebê? – gemeu a Lucinha, se inclinando sobre ele.

O Nando murmurou:

– Acho que torci o pé...

– Você é doido! – repreendeu-o a Lucinha. – Devia ter deixado essa tralha toda pra lá!

– São coisas de que a gente vai precisar... com certeza... – ele murmurou, ainda ofegante.

Nunca senti tanta admiração pelo Nando como naquele momento. Que preconceito o meu de achar que meu amigo fosse tapado, burro! Afinal, ele tinha sido o único a manter o sangue-frio durante todo o incidente. Dominando os nervos, ainda havia retirado do helicóptero algumas coisas de que a gente ia precisar: a mochila dele, as panelas, as ferramentas, o galão de água, uma grande lanterna...

Agora eu reconhecia que ele tinha uma inteligência prática, absolutamente necessária numa situação de emergência. Por isso mesmo, fiquei bastante envergonhado dos meus preconceitos estúpidos e injustos sobre ele. Mas, com certeza, eu ia ter muito tempo pela frente para eliminá-los de vez.

– Você está ferido, cara. – O Jayme se aproximou de mim, que continuava sentado, ainda me sentindo meio tonto.

– Não foi nada... – murmurei.

– Como não foi nada? Você sofreu um corte perto do supercílio.

O Jayme rasgou um pedaço da própria camisa e improvisou uma atadura, o que serviu para estancar um pouco o sangue. Quanto ao Nando, permanecia deitado de costas, atendido pela Lucinha. Ela tinha cortado com um canivete a calça dele, na altura do tornozelo. Além de ter feito um grande ferimento na perna, o Nando havia torcido o pé.

– Está doendo muito, Bebê?

Bebê... Só a Lucinha mesmo.

– O pior é o pé. Me ajuda a tirar o tênis – o Nando disse, franzindo o rosto de dor.

Quando ele tirou o tênis e a meia, vimos que seu pé estava muito inchado e vermelho. O Nando tentou ficar de pé sozinho, mas a dor foi tanta que teve que se sentar.

– Me ajudem a levantar – ele pediu. – Vamos sair deste calor.

Apesar da brisa fresca, o sol estava muito forte. Olhei no relógio: mais de meio-dia. O Jayme, a Lucinha e eu erguemos o Nando com dificuldade. Vagarosamente, fomos andando sobre as rochas e sobre o capim ralo do barranco na direção de um ipê solitário, a poucos metros de uma pequena mata. Pusemos o Nando com as costas apoiadas no tronco da árvore. Sentamos em volta dele. Eu ainda estava meio tonto, cansado, e o sangue não parava de escorrer da minha testa. Me deitei de costas.

– Puxa vida, o que será que aconteceu com o piloto? Parecia tão bem quando partimos...

– É mesmo... – concordou o Jayme, com o rosto triste. – Talvez um ataque cardíaco... Tudo aconteceu tão de repente...

Acabrunhados, ficamos em silêncio por algum tempo. Com horror, eu pensava no triste fim do piloto. Nunca, em minha vida, havia presenciado alguém morrer tão perto de mim. E pensar que isso podia ter acontecido com qualquer um de nós... Só de refletir sobre essa situação, comecei a tremer apavorado, como se tivesse febre. A mesma reação parecia tomar conta dos meus amigos, que estavam, ao mesmo tempo, tristes, nervosos e cansados. Foi o Nando quem quebrou o silêncio, observando:

– É, deve ter sido isso mesmo... Antes de sair do helicóptero, pus a mão no pescoço dele. Não havia nenhum sinal de vida. Coitado... Pelo menos, não deve ter sentido nada...

Tentamos nos reconfortar com aquele pensamento e ficamos mais um pouco em silêncio, como que em respeito ao homem que havia morrido. Tudo aquilo estava sendo muito triste. Parte de mim não acreditava no que estava realmente acontecendo com a gente...

– E agora, o que vamos fazer? – perguntou a Lucinha, com voz de choro.

– Vamos aguardar por socorro – o Jayme falou. – Alguém trouxe o celular?

– Eu trouxe! – disse a Lucinha, animando-se um pouco

e pegando o aparelho no bolso da calça. – Pra quem vamos ligar? Para os bombeiros?

– Acho melhor a gente ligar pro meu pai – respondeu o Jayme. – Ele vai saber como nos ajudar.

A Lucinha hesitou.

– Eu falo pra ele que a gente está onde?

– Bem, ele deve ter a rota do helicóptero... – o Jayme comentou.

– Mas acontece que o helicóptero, quando começou a cair, desviou bastante da rota – observou o Nando.

– Então, o que é que eu falo? – tornou a Lucinha.

O Nando refletiu um pouco e disse:

– A gente deve estar mais ao leste em relação à Ilhabela. Me dá o celular que eu falo com ele.

O Nando digitou os números e esperou por alguns segundos, até que gritou com raiva:

– Droga! Não pega nada aqui! Acho que essas montanhas estão interferindo!

Ficamos em silêncio. Senti um baque no peito. Meus amigos também devem ter sentido o mesmo, pois o silêncio pesado voltou. E se não encontrassem a gente? Como íamos sobreviver? E por quanto tempo?

• 6 •

Primeiras providências

Alguns minutos se passaram até que a Lucinha perguntou, com angústia na voz:

– E o que a gente vai fazer?

– Esperar. Quando perceberem que o helicóptero não chegou à ilha, vão começar a procurar a gente. Enquanto isso, podemos ir dando um jeito nas coisas por aqui. Pra começar, acho melhor cuidar dos nossos ferimentos – disse o Nando.

Ele apontou para o amontoado de coisas na beira do barranco:

– Vocês não querem trazer aquela tralha toda pra cá?

Entre as coisas salvas do helicóptero, felizmente havia uma maleta de primeiros socorros. A Lucinha pegou um spray com antisséptico, um chumaço de algodão, um rolo de gaze e outro de esparadrapo. Em seguida, limpou a região ferida na perna do Nando e a envolveu cuidadosamente com a gaze. Ela fez o mesmo comigo, na região do meu supercílio, que ainda estava sangrando. Sorte que tanto a Lucinha como o Jayme, fora o susto e pequenos arranhões, não tinham sofrido nenhum ferimento mais sério.

– Agora, vamos comer. Estou morto de fome – disse o Nando, quando a Lucinha terminou os curativos.

– Como se eu não desconfiasse... – ela respondeu, já mais calma e dando um sorriso. – É pra já, meu amor!

Dentro da mochila do Nando, havia um pacote de pão de forma, dividido em vários sanduíches com grossas fatias de queijo e presunto. Também havia duas maçãs, uma garrafa de suco de laranja, além de uma bússola, uma faca, um sabonete, algumas roupas, pasta e escova de dentes. A mochila do Jayme havia sido deixada no helicóptero; a da Lucinha continha suas roupas, repelente, bronzeador e produtos de beleza. Na minha, fora os itens de higiene e peças de roupa, só havia uma barra de chocolate e o livro do Eça de Queirós... Ah, se eu fosse previdente como o Nando...

Dividimos os sanduíches, as maçãs, a barra de chocolate e o suco em quatro partes, o que serviu para aliviar um pouco a fome. Pelo menos a minha, porque o estômago do Nando, com certeza, ainda devia estar vazio.

– Bom – o Nando começou a falar, depois de comer a última migalha do pão –, vamos planejar o que faremos até o socorro chegar. Deem uma olhada nas caixas que salvei do helicóptero.

Abri uma delas: havia um machado, um serrote, uma pá, uma enxada e um facão.

– Ótimo! – comemorou o Nando. – Vai dar pra gente cortar lenha e abrir uma trilha na mata.

Jayme pegou outra caixa. Nela havia uma cesta básica com arroz, feijão, macarrão, molho de tomate, farinha, farofa pronta, óleo, sal, café, açúcar, bolachas doces e salgadas.

– Beleza! – exclamou a Lucinha. – Vai dar pra gente preparar um almoço de primeira!

Na última caixa, encontramos panelas, frigideiras e um

caldeirão. Além disso, havia um galão com água potável. Felizmente, graças ao pai do Jayme e aos esforços do Nando, a gente não estava tão desprevenido assim. Tínhamos, pelo menos, o essencial para sobreviver por alguns dias. Quando eu disse isso, o Nando observou:

– Não quero ser pessimista, mas o socorro pode demorar. A gente tem que se prevenir, procurando mais água, outras coisas pra comer, providenciando um abrigo...

O Nando não conseguia se locomover direito por causa do pé, que ainda estava bem inchado. Mas com a experiência adquirida nas longas caminhadas na serra do Mar, nos acampamentos selvagens nas férias e nos programas de aventura a que assistia, ele começou a organizar nossa expedição. Primeiro, explicou como improvisar um abrigo, usando diferentes tipos de troncos para montar a estrutura, cipós para fazer as amarrações, palmas para a cobertura e folhas para improvisar nossas camas.

– Legal, a gente pode pegar tudo isso logo ali – eu propus, apontando para o começo da mata, à nossa esquerda, onde havia pequenas árvores e algumas palmeiras. – Mas onde vamos encontrar água? E comida?

O Nando pensou um pouco antes de responder:

– Desconfio que deve ter um córrego, talvez não muito longe daqui.

– Ué, como você sabe disso? – perguntou o Jayme, desconfiado.

O Nando deu um sorriso de superioridade:

– É só usar os ouvidos direito! Estou escutando o ruído de água caindo. E vocês? Não estão ouvindo nada?

– Eu não – rebati, pois só ouvia o barulho do vento, das folhas se agitando.

– Nem eu – falou o Jayme.

– Pois eu estou ouvindo muito bem o ruído da água. Ainda não atrofiei meus sentidos...

Entendi a indireta e fiquei quieto. E o Nando continuou falando:

– Além de estar escutando o barulho de rio, tenho a impressão de ter visto uma queda-d'água na ponta do despenhadeiro, quando me equilibrei pra sair do helicóptero. Joãozinho, você não quer dar uma conferida?

Me levantei, fui até a beirada do barranco e olhei para a esquerda. De fato, a uns metros adiante da pequena mata, havia mesmo uma pequena cachoeira que caía no abismo.

– Você tem razão, Nando! Há uma cachoeira logo ali adiante – eu disse, ao voltar.

– Ótimo! – exclamou ele. – Se tem uma cachoeira, deve ser alimentada por um rio, ou coisa assim, que atravessa a mata aí adiante.

– E comida? – perguntou a Lucinha.

– Acho que não vai ser difícil encontrar raízes e frutos. Mas, por hoje, acho que vale a pena pegar alguns troncos, galhos, palmas, folhas, pra preparar nosso abrigo e fazer uma fogueira.

Ele lançou um olhar irônico para mim e para o Jayme e continuou:

– Como vocês podem ver, estou incapacitado. Será que vocês são capazes de fazer isso?

– Como assim? – disse, irritado, o Jayme.

– Fico em dúvida se vocês são mesmo capazes de usar um machado ou um facão...

O Jayme disse um palavrão e se levantou. Pegamos as ferramentas e seguimos na direção da mata, que ficava a uns quinhentos metros adiante. O sol continuava forte e logo comecei a suar.

– Que droga! – resmungou o Jayme. – E ainda tem gente que gosta de fazer esse tipo de coisa.

– Que tipo de coisa?

– Caminhar, se meter no mato, acampar. Quero ver como vai ser de noite quando aparecerem os bichos!

O Jayme estava de muito mau humor mesmo, incomodado com o calor, com a caminhada, com o peso das ferramentas, com a tarefa que tinha pela frente. Mas talvez ele se sentisse indiretamente culpado pelo incidente. Dei um tapa no ombro dele:

– O que é que a gente vai fazer, né, Jayme? Vamos procurar melhorar um pouco a situação...

Continuamos andando e, quando chegamos perto da mata, começamos a trabalhar, atacando uma pequena árvore com o machado e o facão. Não demorou muito para perceber que seria pior do que a gente imaginava. Não era nada fácil usar as ferramentas, ainda mais para pessoas sem muito preparo físico como nós dois. Meu corpo estava banhado de suor, e o trabalho parecia não render.

Depois de muito batalhar, a pobre árvore veio abaixo, quase caindo sobre a cabeça do Jayme, que pulou para o lado, falando outro palavrão. Sentamos para descansar um pouco. Olhei para meu amigo, que estava com a cara toda vermelha, o suor escorrendo pescoço abaixo, empapando a camiseta.

– Estou com as mãos cheias de bolhas... – ele reclamou, desolado.

– Ui, que mãos de moça... – zoei.

– Vai se danar, cara!

Mas as minhas mãos não estavam em melhor estado. E toca cortar o tronco, os galhos e carregar tudo aquilo, mais as folhas das palmeiras, até o ipê, onde nossos amigos esperavam. Fiquei com dó do Jayme, que parecia estar em piores condições do que eu, e propus:

– Escuta, você não quer ir levando as folhas de palmeira pra Lucinha e pro Nando?

Dando um suspiro bem fundo, ele apanhou duas grandes folhas e foi arrastando na direção do ipê. Parecia despender um grande esforço, como se aquilo pesasse uma tonelada...

Cuspi nas mãos, peguei o machado e comecei a cortar o tronco da árvore em pedaços. Enquanto fazia isso com a maior dificuldade, ia pensando que, sem alguém experiente do nosso lado, duvido que eu e o Jayme tivéssemos qualquer chance de sobrevivência na mata. Como faríamos, sem saber como conseguir alimento, água, como improvisar um abrigo?

Refleti então que, naquele lugar selvagem, o tipo de livro que eu costumava ler e o conhecimento de ciências e de internet do Jayme não valiam muita coisa. Ainda bem que o Nando estava com a gente! Ele era muito bem adaptado à natureza, provido de força e de inteligência prática. Mais uma vez, me arrependi dos preconceitos que havia tido com meu amigo. Perto dele eu não era nada.

Depois de muito trabalho, consegui reunir um bom número de galhos, grossos e finos. Então, cortei pedaços de cipó e juntei pedaços de madeira e de folhas secas ao maço. Uma fogueira seria absolutamente necessária, não só para cozinhar, mas também para afastar os mosquitos e indicar nossa posição para quem viesse nos resgatar.

Ajudados pela Lucinha, levamos tudo até junto do ipê. O Jayme, esgotado por tanto esforço, sugeriu que a gente montasse o acampamento perto da mata. O Nando objetou, observando que lá a gente seria presa fácil dos mosquitos. Portanto, não restou outra alternativa senão passar grande parte da tarde carregando troncos, galhos, folhas, palmas...

Quanto ao pobre do Nando, mesmo com as dores que sentia, não deixou de trabalhar: ficou amarrando os galhos com os cipós, trançando as palmas, de modo a conseguir um teto e um forro para o chão. Ao mesmo tempo, ia dando instruções de como erguer nosso mais que precário abrigo.

* * *

Era já o início da noite. Exaustos, sentamos diante de dois montes de galhos e folhas. Um deles, o menor, cercado por pedras, serviria para preparar o jantar; o outro, maior, formado por troncos e galhos mais grossos, seria usado para acender uma fogueira.

– Bem, e como vamos acender o fogo? – perguntou o Jayme, preocupado. – Será que a gente vai ter que ficar esfregando um pauzinho no outro?

O Nando sorriu e disse:

– Até que seria bom pra vocês aprenderem alguma coisa. Mas vamos facilitar... – Ele enfiou a mão no bolso da calça e pegou um isqueiro.

– Ué! Onde você arrumou isso, Bebê?! – disse a Lucinha, espantada. – Você não fuma!

– Peguei com o piloto, quando fui ver se ele estava realmente morto... – e o Nando completou, balançando a cabeça em desaprovação. – Vai ver que o cara fumava e, se fumava, quem sabe isso não foi o responsável pelo infarto...

– Coitado – murmurou o Jayme, balançando a cabeça. – Era sempre tão prestativo, tão atencioso...

– Será que ele tinha família? – perguntou a Lucinha.

– Não sei... provavelmente... – respondeu o Jayme. – Na volta, se é que a gente vai voltar, meu pai vai resolver tudo, com certeza.

– Mas é claro que vamos voltar! – protestou o Nando do seu canto. – Deixa de ser pessimista, cara!

Ficamos em silêncio por alguns segundos. Eu, pelo menos, estava pensando nas palavras do Jayme: "se é que a gente vai voltar". E isso só serviu para aumentar ainda mais minha angústia. Vendo nossa cara, o Nando gritou:

– Que é isso, galera?! A gente não pode se abater desse jeito! Temos que acreditar em nós mesmos! E pra isso, nada melhor do que trabalhar! Vamos acender o fogo e comer o melhor rango do mundo!

As palavras de incentivo do Nando, ditas de modo tão veemente, melhoraram nosso astral na hora. Deixando de lado aqueles pensamentos tão negativos, pusemos a mão na massa. Começamos acendendo o fogo. Em seguida, a Lucinha preparou uma panela de macarrão ao sugo, que foi acompanhado de bolachas salgadas. Confesso que comi a minha parte rapidamente e que comeria também a dos meus amigos. E o mesmo aconteceu com eles. Com que cara desconsolada o Nando disse, lambendo os beiços e passando a mão na barriga:

– Só serviu de aperitivo... Meu estômago está roncando... Eu seria capaz de comer duas panelas de macarronada!

Escureceu rapidamente, e a temperatura caiu. Acendemos a fogueira. Que coisa boa, sentir um calor aconchegante. Não fosse a fome, acho que me sentiria maravilhosamente bem, apesar da horrível experiência do desastre com o helicóptero e da morte do piloto. Mas ninguém conseguiu dormir, pois, apesar de cansados, também estávamos bastante nervosos.

– E agora, o que a gente faz? – perguntou o Jayme, olhando desconsolado para a cama improvisada com folhas e palmas, dentro do abrigo. – Estou sem sono. E duvido que consiga dormir nessa coisa aí...

– A gente podia contar histórias, piadas, brincar de adivinhações – respondeu o Nando. – Eu também não estou com nem um pouco de sono.

Tive uma súbita inspiração:

– Que tal se a gente lesse *A cidade e as serras*? É um livro bem divertido, vai ajudar a passar o tempo.

A Lucinha olhou espantada para mim:

– Ler como? Cadê o livro?

Enfiando a mão na minha mochila, peguei o romance do Eça e mostrei para eles.

– Puxa vida, você foi salvar justamente isso do desastre?! – resmungou o Nando, desconsolado, provocando a risada de todos.

– Pois é, foi o que consegui salvar...

– Bem, então tudo bem, vamos começar a ler. Isso vai ser ótimo pra mim. Garanto que em dois minutos tô roncando...

Mais uma gargalhada acolheu este outro comentário do Nando.

• 7 •

Lendo para meus amigos

Fui mais para perto da fogueira, liguei a lanterna, que prendi na forquilha de um galho fincado no chão, e comecei a leitura. Como meus amigos ainda não haviam lido nada, tive que reler a parte inicial do romance. Mas fiz isso com grande prazer, porque acabei vendo coisas novas e interessantes no texto. Graças ao poder de narração do Eça de Queirós, fui percebendo que havia detalhes e mais detalhes em que eu não tinha reparado.

E assim meus amigos logo ficaram sabendo do nascimento de Jacinto, de sua família, de sua criação especial, de seu apelido, o "Príncipe da Grã-Ventura". De vez em quando, suspendia a leitura e olhava disfarçadamente para o Jayme, para ver a reação dele diante do retrato do seu "sósia". Mas o meu amigo parecia muito entretido com a leitura, talvez não se dando conta da semelhança entre ele e o Jacinto.

Contudo, ele acabou se manifestando, até com muita veemência, quando cheguei ao ponto em que o narrador falava do modo de pensar do protagonista. Talvez o Jayme tivesse ficado impressionado com duas questões discutidas pelo Zé Fernandes. A primeira delas dizia respeito à ideia da conquista da felicidade por meio da perfeita união entre a ciência e a suma potência. Já a segunda, dizia respeito à superioridade das cidades sobre a natureza.

– Embora eu ache esse cara um desligado, concordo em gênero, número e grau com suas ideias – disse ele, interrompendo a leitura.

O Jayme chamando o Jacinto de "desligado"... Justo ele!

– Pois eu acho ele um mala – protestou o Nando. – Não concordo que a gente seja mais feliz com tanto progresso, com a evolução científica. Penso que...

O Jayme não deu chance para o Nando continuar:

– Não é nem questão de felicidade. É questão de bom senso, de comodidade, de economia. O Jacinto tem toda razão: um homem que possui um telescópio e, por isso, consegue tornar as coisas mais próximas, tem muito mais vantagens sobre um outro que não possui esse tipo de aparelho.

– Depende – eu disse do meu canto. – Às vezes, alguém, mesmo desprovido de qualquer tecnologia, pode examinar e estudar as coisas com muita competência.

– Como isso é possível? – me perguntou o Jayme, com um ar de incredulidade.

– Por meio da inteligência, da sensibilidade. Os filósofos...

Ele fez um gesto com a mão, me interrompendo, e prosseguiu:

– Filósofos... Se você quer saber, a boa inteligência só se completa quando dispõe do auxílio da técnica. Como acontece em nosso século. Por exemplo, o uso da internet fez com que o mundo se tornasse bem menor. Posso, num toque de teclado, saber, on-line, as notícias da China, do Afeganistão, quase no momento em que estão acontecendo. Em outras palavras: tenho, num passe de mágica, ou melhor, graças à tecnologia, o mundo a meu dispor, coisa que seria impossível tempos atrás.

Sorri por dentro, me lembrando do episódio de *A cidade e as serras* que mostrava que o Jacinto tinha acesso a todas as horas do mundo... Um conhecimento absolutamente inútil. Mas, antes que eu dissesse isso, a Lucinha contestou o argumento do Jayme:

– E qual a vantagem disso? O que o homem ganhou com tanto progresso, com tanta informação, a não ser mais guerras, mais exploração do próximo, mais destruição da natureza?

– Apoiado! – O Nando aplaudiu, beijando a namorada.

– Vocês são uns obscurantistas. Se a humanidade fosse depender de vocês, a gente ainda estava vivendo na Idade da Pedra.

– E ainda tem outra coisa – teimou o Nando. – Não posso admitir que esse mala do Jacinto defenda a civilização, as cidades, e fale tão mal da natureza. A natureza é vida, enquanto as cidades...

– Concordo com o Nando – entrei na conversa. – Que coisa mais feia é São Paulo, com os rios podres de poluição, as favelas, as avenidas congestionadas, enquanto aqui...

Fiz um gesto com as mãos para o alto, mostrando o céu límpido, onde pontilhavam estrelas e a lua brilhava intensamente. O azul-escuro, profundo, era contaminado por uma luminosidade cor de leite. Pássaros noturnos piavam e uma brisa balançava a copa das árvores, produzindo um ruído parecido com um leve sussurro, como se a natureza tentasse se comunicar com a gente. Permanecemos todos em silêncio por alguns minutos, como que extasiados com a paisagem, até que o Jayme, dando um suspiro, voltou a falar:

– Tudo bem, eu concordo, isso é mesmo muito bonito, mas nada prático, como são as coisas belas demais. Se eu quiser abrigo, água e comida na natureza, preciso batalhar feito doido pra conseguir. Já na cidade, tenho o que quiser ao alcance da mão. Sinto vontade de comer uma pizza, é só pegar o telefone e lá vem um garoto de moto...

– Isso porque você é um vagal, quer tudo na moleza, com a lei do mínimo esforço! – rebateu o Nando, com desprezo.

– Isso mesmo, sou pela lei do mínimo esforço e...

O Nando não deixou o Jayme terminar a frase e começou a falar com ênfase:

– Conseguir as coisas com o mínimo esforço pra quê? Qual a vantagem disso? O que fazer com o resto do tempo? Ficar à toa? Deixando a vida correr numa boa?

– Meu querido Bebê – tornou o Jayme com ironia – não precisa se exaltar. Até que deixar a vida correr numa boa não é de se desprezar, mas não quis dizer exatamente isso. O que eu quero dizer, na verdade, é que, se o homem depender diretamente da natureza, terá que fazer muito esforço na luta pela vida. Com isso, não terá tempo pra desenvolver o intelecto. Já vivendo nas cidades, economiza tempo e pode se preocupar com coisas muito mais adiantadas do que procurar água, comida e fazer um abrigo xexelento como esse...

– Xexelentas são as cidades – interveio a Lucinha. – Impossível aguentar a poluição, o trânsito, a violência... Isso tudo produzido pelo progresso que você tanto enaltece!

– Você deve estar se referindo a São Paulo, né? – disse o Jayme. – Mas há cidades e cidades. Em Paris, em Viena ou em Praga, a coisa é bem diferente. Os rios e jardins são muito bem cuidados, e a poluição, controlada.

– Uuuuuuuuuu! – vaiou o Nando. – Você parece o mala do Jacinto falando. O perfeito mauricinho. Não é porque você conhece esses lugares de rico que...

A conversa seguia por um caminho perigoso. Estava vendo a hora em que, esquecendo-se de que eram grandes amigos, os dois iam acabar se insultando. Por isso mesmo, eu os interrompi:

– Que tal se a gente continuasse a leitura?

– Está bem, vamos lá – concordou o Jayme, fazendo um gesto com a mão. – A coisa está ficando interessante.

Voltei a ler o romance. Quando passei pelas partes em que se descreviam as inutilidades de vários aparelhos do palacete, os desastres com os encanamentos, o Nando balançou a cabeça, vitorioso, como se falasse "eu não disse?". Na sequência, chegamos ao trecho em que, numa recepção, o narrador conheceria parte da sociedade parisiense. A começar pela sedutora, mas tola, condessa de Trèves:

> *Timidamente, sem rumor, puxando os punhos, penetrei no gabinete de Jacinto. E fui logo acolhido pelo sorriso da condessa de Trèves, que, acompanhada pelo ilustre historiador Danjon (da Academia Francesa), percorria maravilhada os Aparelhos, os Instrumentos, toda a suntuosa Mecânica do meu supercivilizado Príncipe. (...) E ante cada roda, cada mola, eram pasmos, louvores finamente torneados, em que atribuía a Jacinto, com astuta candura, todas aquelas invenções do Saber! Os utensílios misteriosos que atulhavam a mesa de ébano foram para ela uma iniciação que a enlevou. Ó, o "numerador de páginas"! Ó, o "colador de estampilhas"!*
>
> *A carícia demorada dos seus dedos secos aquecia os metais. (...) – "Prodigiosa, esta prensa elétrica!..."*
>
> *Jacinto acudiu:*
>
> *– Não! Não! Esta é...*

Mas ela sorria, seguia... Madame de Trèves não compreendera nenhum aparelho do meu Príncipe! (...) Não escondi a Danjon a admiração que me penetrava.

O facundo Acadêmico revirou os olhos bugalhudos:

– Ó! e um gosto, uma inteligência, uma sedução!... E depois como se janta bem em casa dela! Que café!... Mulher superior, meu caro senhor, verdadeiramente superior!

Deslizei para a Biblioteca. Logo à entrada da erudita nave, junto da estante dos Padres da Igreja onde alguns cavalheiros conversavam, parei a saudar o Diretor do Boulevard *e o Psicólogo-feminista, o autor do* Coração Triple*, com quem na véspera me familiarizara ao almoço, no 202. (...)*

Ao reunir, na casa do Jacinto, intelectuais, membros da nobreza, economistas, banqueiros, aristocratas, damas, o autor fazia uma crítica ferina à superficialidade daquela gente. A condessa de Trèves, por exemplo, "somente se ocupara em exercer, com proveito e com perfeição, a Arte de Agradar. Toda ela era uma sublime falsidade". Não havia autenticidade, sinceridade. Os personagens se ocupavam em agradar e em seduzir o próximo, sempre tendo em vista algum interesse. Por isso mesmo, impossível não rir com o comentário do historiador sobre as virtudes da condessa, ao lhe louvar a inteligência e a sensibilidade, ao mesmo tempo que elogiava seus jantares e o café...

Também se mostrava ali a absoluta falta de senso moral daquela sociedade tão seleta. Quando o narrador encontrava, no salão, os "dois homens de Madame de Trèves – o marido, conde de Trèves", e o "amante, o terrível banqueiro judeu, David Efraim", notava que eles conversavam naturalmente. Mais adiante, a vulgaridade dos convidados se acentuava. Ao entrarem no salão de bilhar, o Zé Fernandes e o Jacinto deparavam com alguns intelectuais conversando, mas o diálogo entre eles era obsceno e mais próprio de botecos:

> *Jacinto e eu entramos então no bilhar, forrado de velhos couros de Córdova, onde se fumava. Ao canto dum divã, o grande Dornan, o poeta neoplatônico e místico, o Mestre sutil de todos os ritmos, espapado nas almofadas, com um dos pés sob a coxa gorda, como um Deus índio, dos botões do colete desabotoados, a papeira caída sobre o largo decote do colarinho, mamava majestosamente um imenso charuto. Ao pé dele, também sentado, um velho que eu nunca encontrara no 202, esbelto, de cabelos brancos em anéis passados por trás das orelhas, a face coberta de pó de arroz, um bigodinho muito negro e arrebitado, findara certamente alguma história de bom e grosso sal – porque diante do divã, de pé, Jovan, o supremo Crítico de Teatro, ria com a calva escarlate de gozo, e um moço muito ruivo (descendente de Coligny), de perfil de periquito, sacudia os braços curtos como asas, e gania: "delicioso! divino!" Só o poeta idealista permanecera impassível, na sua majestade obesa. Mas, quando nos acercamos, esse Mestre do ritmo perfeito, depois de soprar uma farta fumarada e me saudar com um pesado mover das pálpebras, começou numa voz de rico e sonoro metal:*
>
> *– Há melhor, há infinitamente melhor... Todos aqui conhecem Madame Noredal. Madame Noredal tem umas imensas nádegas...*

– Mas que coisa, hein! – observou o Jayme. – Onde já se viu um poeta místico e idealista, gorducho e com a boca tão suja? "Majestade obesa"... O Eça de Queirós é mesmo muito engraçado!

– Esse poeta e essa gente hipócrita são produtos da sua querida civilização e do ócio – a Lucinha aproveitou a deixa e desabafou, irritada. – Pessoas falsas que não têm o mínimo de decência, de ética. O que mais a gente podia esperar?

O Jayme caiu em si e protestou:

– Calma lá, você não pode generalizar... O Eça está criticando a alta sociedade, e a alta sociedade, em qualquer lugar, é esse lixo aí. Agora, se você está pensando que...

O Nando esticou os braços, deu um sonoro bocejo e disse:

– A conversa tá boa, mas me deu um sono danado. Que tal se a gente fosse dormir? Amanhã tem trampo pesado...

Ele tinha razão, já era tarde da noite. Fechei o livro.

– Amanhã tem mais... – eu também bocejei.

Avivamos bem a fogueira para espantar os mosquitos, que, em grande número, já zumbiam em nossas orelhas. E assim nos preparamos para dormir a primeira noite no alto da serra... Cada um se acomodou num canto: o Jayme bem no fundo do abrigo; o Nando e a Lucinha, abraçados, no centro; e eu, perto da porta improvisada. Pouco depois, escutei o ronco de meus amigos. Quanto a mim, não consegui dormir. Fiquei virando de um lado para o outro sobre a cama improvisada. É que estava preocupado e com medo. Da floresta, vinham uns barulhos noturnos que me deixavam arrepiado. Alguns eu identificava como pios de aves, coaxar de sapos; outros, não sabia o que era. E se fosse uma onça? Olhando cautelosamente para os lados, saí do abrigo e procurei reavivar a fogueira que estava quase só em brasas.

Confortado pelo calor das chamas, voltei a deitar, mas comecei a ter outro tipo de preocupação. E se não nos encontrassem? Ah, eu não queria ficar perdido naquele fim de mundo! Me baixou então uma saudade de casa, do meu pai, da minha mãe... Sem conseguir me conter, comecei a chorar silenciosamente. Puxa vida, eu não podia ser um molengão, eu tinha que reagir! Mordi os lábios, enxuguei as lágrimas. Procurei me distrair, recordando só de coisas boas, como os bons livros e filmes que tinha lido e visto nos últimos tempos. Os melhores capítulos e episódios me vieram à cabeça, ora me emocionando, ora me fazendo rir, até que, de repente, dei um bocejo. Me encolhi, como se eu fosse um caracol, os joelhos encostados no peito, e pouco a pouco fui mergulhando no sono.

• 8 •

A primeira expedição

Pela manhã, tomamos café com leite em pó, acompanhado de bolachas doces. Não havia mais nada de substancial para saciar nossa fome. O Nando tinha razão: a gente precisava urgentemente encontrar coisas diferentes para comer, pois os itens da cesta básica dariam, no máximo, para mais duas refeições. Também era preciso buscar água. Passamos repelente na cara e nos braços, pegamos o galão de água, um grande saco plástico e um facão. E lá fomos nós enfrentar a mata. Lucinha preferiu ficar com Nando, fazendo companhia para ele.

– Procurem sempre andar em linha reta e na direção do barulho do riacho, senão vocês podem se perder – aconselhou o Nando, para depois acrescentar: – Não esqueçam que vão caminhar na direção do sul...

Já íamos saindo, quando ele ainda avisou:

– Não enfiem a mão debaixo de tocos ou de pedras. Podem ter surpresas desagradáveis. Outra coisa: se virem pássaros e macacos comendo frutas, podem pegar. Se não fazem mal pra eles, não farão mal pra nós também.

Depois de andar por algum tempo sob o sol, que continuava forte, entramos no frescor da mata. Senti um grande alívio, porque não parava de suar. Comecei, então, a cortar as folhagens, os arbustos, as touceiras de mato, os cipós à nossa frente, mas isso não era uma tarefa nada fácil. Tanto que logo cansei e fui substituído pelo Jayme. E, assim, fomos nos revezando. Não bastasse isso, a mosquitada deu de atacar, provocando os protestos do meu amigo:

– Que droga! Olha aí, as maravilhas da natureza! Espinhos, insetos e sol na cabeça! Só o Bebê e a Lucinha pra gostarem disso!

A gente já tinha andado alguns metros quando ouvimos o ruído de água cada vez mais forte, misturado à gritaria das aves. Que sorte a nossa! Se o riacho ficasse longe, não sei se a gente teria forças para encontrá-lo. Passando por uma pequena clareira, deparamos com uns frutinhos amarelos no chão. Notei que muitos tinham sinais de bicada. Lembrando do conselho do Nando, limpei um deles na camisa e experimentei. Era gostoso.

– É bom, é doce. Experimenta – eu ofereci.

O Jayme balançou a cabeça:

– Você acha que vou enfiar isso na boca?

– Azar o seu! – Dei de ombros, catando mais frutos no chão, comendo alguns e pondo os outros na sacola.

Mais para a frente encontramos uma bananeira, de onde retiramos um cacho já maduro, com muitas frutas bicadas por pássaros. A banana, o Jayme não recusou. Comemos até matar a fome e prosseguimos com a caminhada.

Alguns metros depois, vimos uma pequena lagoa. Era larga de um lado e estreita de outro e devia formar, mais adiante, a cachoeira que eu tinha visto do barranco. Dava até para a gente ouvir o rumor das águas caindo no abismo lá embaixo. Mergulhei a mão na lagoa. O frescor da água criava um contraste muito grande com o calor pegajoso e úmido da mata. Como me sentia melado de suor, sujo, disse, cheio de entusiasmo:

– Que beleza! Acho que vou dar um mergulho!

Comecei a tirar a roupa.

– Você não vem? – perguntei ao Jayme.

– Sei lá o que tem aí dentro...

– Larga de ser trouxa, cara! Está pensando que existe jacaré ou piranha por aqui?

E mergulhei de cabeça na lagoa. A água fria me envolveu todo. Que delícia! Voltei logo à superfície e fiz um sinal:

– Ô Jayme, a água está ótima. Deixa de frescura!

Ele hesitou um pouco, mas acabou se despindo, pulou na lagoa e, com lentas braçadas, atravessou até a outra margem. Fiquei boiando um instante de costas, depois voltei a mergulhar. Foi então que reparei que a lagoa tinha muita vida no fundo: peixes e bichos pequenos, brancos, que pareciam camarões e se deslocavam entre as plantas aquáticas. Será que dava para pegá-los? Subi à tona e chamei o Jayme.

– Tem peixe e uma espécie de camarão lá embaixo!

Ele veio nadando ao meu encontro.

– Não diga que está pensando em pescar?

– E por que não?

– Porque a gente não tem vara, linha, anzol, nada disso, espertinho! Vai pegar com a mão?

– Não sei os peixes, mas os camarões, eu consigo.

Mergulhei e, nadando bem rente ao fundo, fui pegando com facilidade aqueles bichos brancos. Subi à superfície e mostrei-os triunfalmente ao Jayme.

– Se você pode pegar, acho que eu também posso – disse ele, mergulhando.

Num instante, a gente tinha juntado um bom punhado de camarões, frutinhas amarelas e bananas na sacola. Voltamos a mergulhar. Olhei para o Jayme, que parecia feliz nadando e, espalhafatosamente, jogando água para todos os lados. Puxa vida, nunca tinha visto meu amigo assim tão animado. Em São Paulo, parecia sempre tão desligado, tão indiferente a tudo... Mas foi só pôr a roupa, depois de a gente se secar ao sol, que os mosquitos voltaram a atacar. E ele novamente começou a maldizer a natureza e a louvar os confortos da civilização:

– Se quer saber, continuo achando a natureza uma droga. Se fosse em São Paulo, a esta hora, estava em meu quarto com ar-condicionado, diante do meu computador, ouvindo música. E, na hora que quisesse, podia comer com muito apetite um belo de um filé, preparado pela cozinheira...

– Comendo com apetite? Você?! Não me venha com história. Cara, juro que nunca vi você comendo nada com apetite...

Ele olhou para mim espantado e refletiu por alguns segundos. Depois disse, balançando a cabeça:

– Tem razão, nunca gostei muito de comer mesmo... Mas agora, juro que eu destroçava um bom filé-mignon.

– Está vendo as vantagens da privação? – tirei barato. – Se não tivesse passado pela experiência de um desastre e tivesse sido obrigado a viver na natureza, continuaria a mesma pessoa enjoada.

– Pois eu preferia continuar como eu sou ou como eu era, sem apetite, vivendo com a lei do mínimo esforço. Em compensação, não ia suar, me sujar nem ser picado por esses malditos mosquitos!

E ainda acrescentou com raiva:

– Nada como uma boa ducha quente e uma muda de roupa limpa.

– Pô, Jayme! Não vai me dizer que não gostou do banho frio na lagoa?

Ele tornou a ficar em silêncio. Em seguida, pareceu resignado:

– Tenho que concordar com você. Há muito tempo não dava um mergulho tão bom. Mas...

A volta para o acampamento improvisado foi muito penosa, porque a água e os alimentos pesavam bastante, nos obrigando a descansar a cada trecho. Quando chegamos ao acampamento, com os alimentos e o galão cheio, o Nando arregalou os olhos, demonstrando espanto:

– Não acredito que os malas conseguiram encontrar comida e água! Pensei que tinham se perdido na mata!

Caímos sentados. A gente estava com o corpo coberto de suor, a cara, os braços e as mãos com marcas de picadas e pequenos cortes causados por mosquitos, galhos e espinhos. Deitei de costas, tentando recuperar o fôlego. Sentia uma fome aguda, apesar das frutas e das bananas que havia comido. Também, já passava da uma, e a gente tinha feito um enorme esforço. Não me lembrava, em toda a minha vida, de ter me cansado tanto assim. O Jayme, então, nem se fala.

– Deixa ver o que temos aqui... – disse o Nando, abrindo o saco. – Bananas! Uvaias! Pitus!

Ele estava mesmo espantado. Eu me sentia orgulhoso com meu trabalho. Afinal, não era um inútil e estava aprendendo a me virar. A prova disso estava naquele saco repleto de frutas e de pitus.

– Lucinha! – disse o Nando, com entusiasmo. – Vamos fazer um risoto com os pitus e fritar umas bananas pra acompanhar! Vocês vão ver o que é um rango de verdade!

Comemos até nos fartar, não deixando um só grão de arroz na panela. Satisfeito, comentei com o Nando:

– Sabe o que vimos na lagoa? Peixes.

– Peixes? De que tamanho?

– Alguns de um palmo, mais ou menos.

– Hummm, já que não temos vara de pesca, talvez desse pra improvisar um puçá.

O Jayme franziu o rosto:

– Puçá? Que é isso?

– Uma armadilha que os índios faziam pra pegar crustáceos e pequenos peixes. Se conseguirmos pescar, teremos proteína, e nossa alimentação ficará mais balanceada.

Deitei em minha cama improvisada. Com o estômago satisfeito e sob uma brisa suave, caí no sono. E sonhei com a Ana Cláudia. Mas não foi um sonho bom. Foi um pesadelo, pois encontrava com a Aninha de mãos dadas com o Júlio César. "Você me disse que não tinha nada com ele e que a gente só ia dar um tempo!", protestei. E ela: "Ah, me cansei de você, nunca soube se me amava ou não". "Aninha, juro que te amo, juro que não posso viver sem você!" "João Fernando, como pode dizer que me ama, se me abandonou? Se foi fazer essa excursão maluca na selva e me deixou sozinha?" "Mas não foi minha culpa, foi o helicóptero que caiu! Eu..."

Acordei sobressaltado. Senti uma grande tristeza. Puxa vida, a Aninha tinha que vir para me atormentar, justo numa hora tão difícil como esta? Mas pensei que isso talvez fosse bom, que aquele pesadelo talvez fosse um recado. Pensando na Aninha, esquecia dos problemas que ia enfrentar e refletia um pouco sobre nossa relação. Como se estivesse diante dela, perguntei: "Será que a culpa da nossa separação foi só minha?".

De repente, meu diálogo silencioso com a Aninha foi interrompido. Era o Nando que me dava uma sacudida:

– O que foi, Joãozinho? Que cara é essa? Parece que viu um fantasma!

– Nada não, foi um pesadelo... – respondi, aborrecido. O Nando tinha que me interromper justo naquele momento!

Me sentei, bocejando. Reparei que já era bem tarde. O sol ameaçava se esconder por entre os montes.

– Nossa, quanto tempo eu dormi?

– A tarde toda. E fazendo cada careta... É isso que dá levar uma vida sedentária – gozou o Nando.

Inclinada sobre a frigideira, a Lucinha preparava a janta. Em nosso vasto cardápio, constavam um punhado de farinha e bananas fritas, acompanhados de suco de uvaia. Eu sabia que, no dia seguinte, a gente ia ter que fazer outra expedição cansativa daquelas. Isso se quisesse comer.

As picadas de inseto começaram a incomodar, me deixando meio maluco. Senti uma enorme vontade de coçá-las, mas, alertado pelo Nando de que elas podiam infeccionar, desisti da ideia e continuei com o corpo ardendo. Não pude deixar, naquele instante, de dar razão ao Jayme. Como faziam falta os confortos da civilização! Principalmente uma ducha, com bastante xampu e sabonete. Talvez a natureza fosse boa para ser apreciada só à distância...

A noite chegou de vez. Depois que comemos e acendemos a fogueira, peguei *A cidade e as serras*.

– Vamos continuar a leitura, gente?

– Como não temos nada pra fazer mesmo, pode ir em frente com essa droga... – pra variar, o Nando resmungou do seu canto.

– Joãozinho, não liga pro que o Bebê tá falando – interveio a Lucinha, fazendo um carinho nele. – Agora pouco, ele tava comentando todo entusiasmado um trecho do livro.

Acendi a lanterna e voltei a ler o romance:

Felizmente o Grão-Duque contava a história duma caçada, nas coutadas de Sarvan, em que uma senhora, mulher de um banqueiro, saltara bruscamente do cava-

lo, num descampado, sem árvores. Ele e todos os caçadores param – e a galante senhora, lívida, com a amazona arregaçada, corre para trás duma pedra... Mas nunca soubemos em que se ocupava a banqueira, nesse descampado, agachada atrás da pedra – porque justamente o mordomo apareceu, reluzente de suor, e balbuciou uma confidência a Jacinto, que mordeu o beiço, trespassado. O Grão-Duque emudecera. Todos se entreolhavam, numa ansiedade alegre. Então o meu Príncipe, com paciência, com heroicidade, forçando palidamente o sorriso:

– Meus amigos, há uma desgraça...

Dornan pulou na cadeira:

– Fogo?

– Não, não era fogo. Fora o elevador dos pratos que inesperadamente, ao subir o peixe de S. Alteza, se desarranjara, e não se movia, encalhado!

O Grão-Duque arremessou o guardanapo. Toda a sua polidez estalava como um esmalte mal posto:

– Essa é forte!... Pois um peixe que me deu tanto trabalho! Para que estamos nós aqui então a cear? Que estupidez! E por que o não trouxeram à mão, simplesmente? Encalhado... Quero ver! Onde é a copa?

E, furiosamente, investiu para a copa, conduzido pelo mordomo (...)

De repente, Todelle teve uma ideia!

É muito simples... É pescar o peixe! (...)

Quando dois escudeiros estonteados voltaram, trazendo uma bengala e um cordel, já o Grão-Duque, radiante, vergara o gancho em anzol. Jacinto, com uma paciência lívida, erguia uma lâmpada sobre a escuridão do poço fundo. (...)

No entanto S. Alteza pescava com fervor! Mas debalde! O gancho, pouco agudo, sem presa, bamboleando na extremidade da guita frouxa, não fisgava. (...)

Parei de ler para ver o efeito desta cena impagável em meus amigos. O Nando, segurando uma risada, observou:

– Gostaria de saber o que a tal mulher do banqueiro foi fazer atrás da moita!

Caímos na gargalhada, e a Lucinha o corrigiu:

– Não era uma moita, Bebê, era uma pedra!

– Tanto faz. O importante é que a mulher estava com as calças arregaçadas...

– Tudo o que você imaginar e mais um pouco – disse o Jayme, dando outra gargalhada.

Comentando a cena do elevador encrencado, começamos a discutir novamente sobre a questão das novas tecnologias. O que costumava acontecer era que as máquinas, criadas para servir o homem, às vezes se voltavam contra ele. Lucinha lembrou de uma batedeira de bolo que a mãe dela tinha comprado pela internet. Quando foi usada pela primeira vez, a máquina emperrou e começou a espirrar farinha, leite e ovo na cara das duas. Foi a dica para cada um de nós recordar uma engenhoca inútil. Até o Jayme entrou na história, contando de uma bandeja elétrica adquirida pelo pai na Europa, que, em vez de manter o calor dos alimentos, só dava choques em quem a segurava.

Voltei a ler. Mais adiante, ficamos sabendo que Jacinto, naquele afã de acompanhar o ritmo da civilização, comprava novas máquinas e entupia de mais livros o palacete. Mas essa animação durava pouco porque o personagem, apesar de tudo que tinha, começava a ser dominado por "densas névoas de tédio", como observava o Zé Fernandes:

Não eram certamente confissões enunciadas. O elegante e reservado Jacinto não torcia os braços, gemendo – "Ó vida maldita!" Eram apenas expressões saciadas; um gesto de repelir com rancor a importunidade das coisas; (...) e sobretudo aquele murmurar que se tornara perene e natural – "Para quê?" – "Não vale a pena!" – "Que maçada!..."

Uma noite no meu quarto, descalçando as botas, consultei o Grilo:

– Jacinto anda tão murcho, tão corcunda... Que será, Grilo?

O venerando preto declarou com uma certeza imensa:

– S. Ex.ª sofre de fartura.

Era fartura! O meu Príncipe sentia abafadamente a fartura de Paris: – e na Cidade, na simbólica Cidade, fora de cuja vida culta e forte (como ele outrora gritava, iluminado) o homem do século XIX nunca poderia saborear plenamente a "delícia de viver", ele não encontrava agora forma de vida, espiritual ou social, que o interessasse, lhe valesse o esforço duma corrida curta numa tipoia fácil. Pobre Jacinto! Um jornal velho, setenta vezes relido desde a Crônica até aos Anúncios, com a tinta delida, as dobras roídas, não enfastiaria mais o Solitário, que só possuísse na sua Solidão esse alimento intelectual, do que o Parisianismo enfastiava o meu doce camarada! (...) Não se ocupara mais das suas Sociedades e Companhias, nem dos Telefones de Constantinopla, *nem das* Religiões Esotéricas, *nem do* Bazar Espiritualista, *cujas cartas fechadas se amontoavam sobre a mesa de ébano, de onde o Grilo as varria tristemente como o lixo duma vida finda. Também lentamente se despegava de todas suas convivências.*

Eu percebia que, na verdade, o Jacinto sofria pela falta de uma vida espiritual mais profunda. Viver adquirindo bens, cercado de tudo quanto é novidade, não consistia mesmo em um ideal de existência, eu pensei. "Sofrer de fartura", como tinha muito bem definido o velho Grilo, esse era o mal do homem moderno. O resultado estava ali naquele tédio, naquele desânimo e naquela tentativa de afastamento dos ridículos clubes e associações a que ele pertencia, além daquela sociedade fútil e ociosa.

– Sei muito bem como curar esse tédio do Jacinto – resmungou o Nando, com um bocejo. – É só botar ele aqui com a gente, com uma enxada na mão, sendo obrigado a carpir um mato, a cortar umas touceiras de capim. Tenho certeza de que, depois de um dia de trabalho, ele ia estar muito mais esperto.

Caímos na risada. Esse Nando...

Foi a minha vez de bocejar. Mas, ao contrário do Jacinto, não era de tédio. Era de puro cansaço, que o dia tinha sido duro. Fechei, então, o livro, dizendo:

– Amanhã tem mais...

• 9 •

A pescaria

No dia seguinte acordei com o Nando me sacudindo:

– Vamos lá, preguiçoso, hora de trabalhar!

Meu corpo doía por inteiro. Me levantei e fui lavar o rosto. Depois, enquanto comia bananas e tomava café com leite em pó, fiquei observando o Nando construindo o tal do puçá. Quanto terminou a tarefa, ele observou sua obra e pareceu satisfeito:

– Não está nada bonito, mas acho que vai funcionar...

Era uma espécie de balaio, de forma cônica, feito de cipó, folhas e galhos, com uma boca bem estreita e uma tampa no fundo. O Nando me explicou como aquilo funcionava:

– O peixe entra pela boca do puçá e depois não consegue mais sair, porque a trama não permite.

Balancei a cabeça, mostrando descrédito:

– O negócio está em convencer os peixes a entrarem nisso daí.

– É isso que você e esse mala vão tentar! E, falando em mala – ele deu uns chutes no Jayme, que continuava dormindo em seu leito de folhas verdes –, acorda aí, ô Bela Adormecida!

O Jayme resmungou alguma coisa, mas acabou se levantando. O Nando examinou o pé. O inchaço tinha diminuído, mas, quando ele tentou se levantar e andar sozinho, franziu o rosto.

– Infelizmente, vocês terão que tentar pegar os peixes sozinhos... – disse, desanimado.

Catei algumas bolachas e enfiei no bolso. Pegamos o puçá, o saco plástico, o galão de água e lá fomos nós, ainda bocejando. A manhã estava fresca, graças à brisa que soprava. Eu me sentia muito bem, e estava animado com a ideia de pegar uns peixes para o almoço. Até o Jayme parecia feliz, inspirando o ar puro bem fundo e chamando minha atenção para os pés de manacá que coloriam de roxo todo o vale:

– Puxa, eu não tinha reparado como isso é bonito...

– Também, só viajando de avião pra cima e pra baixo e ficando entocado no seu quarto...

Caminhando devagar, sem pressa alguma, entramos na mata. Graças à picada que havíamos feito no dia anterior, nossa jornada foi mais rápida, só interrompida para cortar mais um cacho de bananas que deixamos no chão para pegar na volta. Chegando ao riacho, tiramos as roupas e demos um bom mergulho. Depois, sentados na margem, começamos a planejar o uso do puçá.

– Acho que o melhor jeito é um de nós mergulhar e ir passando o puçá pelos cardumes. Pode ser que algum peixe entre aqui dentro – sugeriu o Jayme.

– Não sei se vai dar certo. Esses peixes parecem muito ariscos.

Pensando numa alternativa, acabei tendo uma ideia que me pareceu boa. E se a gente prendesse o puçá no fundo da lagoa e, dentro dele, colocasse pedaços da bolacha? Desse modo, atraídos pelo alimento, os peixes entrariam na armadilha.

Foi o que sugeri ao Jayme. Ele deu de ombros e disse:

– Sei lá, nunca usei isso! Mas não custa nada tentar.

Amarrei uma bolacha dentro do puçá com um pedaço de cipó. Voltamos a entrar na água. Mergulhei e prendi a armadilha nas plantas do fundo da lagoa. Fiquei um instante observando: os peixes passavam direto pelo puçá. Mas era cedo para que algo acontecesse, porque a bolacha precisava se desfazer mais um pouco. Voltei à tona.

– E aí? – perguntou o Jayme, com ansiedade. – Deu certo?

– Ainda não, mas daqui a pouco acho que vai dar. Enquanto isso, a gente podia ir pegando uns camarões.

Nadando rente ao fundo, fomos recolhendo os pitus. Retornamos à superfície. Quando tornamos a mergulhar, verificamos que, para nossa surpresa, fervilhavam peixes em volta do puçá. O Jayme fez um sinal de positivo para mim. Subimos à tona, recuperamos o fôlego e mergulhamos de novo. Chegando no puçá, reparei que estava cheio de peixes! Que alegria que senti! Afinal, eu não era tão incompetente assim: minha ideia tinha dado certo! Retiramos a armadilha do fundo e emergimos com nossa preciosa carga.

– Conseguimos! Conseguimos! – o Jayme gritava como uma criança.

Lembrando de imediato de uma das mais hilariantes cenas de *A cidade e as serras*, eu disse:

– Pelo menos somos mais competentes do que aqueles imbecis do palacete do Jacinto! Só com o auxílio do puçá improvisado conseguimos pegar um punhado de peixes. Eles nem conseguiram pegar um peixe morto e já cozinhado no elevador...

Abrimos a tampa do puçá: havia uma boa quantidade de peixes, mas, como eram pequenos, o negócio era tentar pegar um pouco mais. Voltamos a colocar a armadilha, com outra bolacha, no fundo da lagoa. E o resultado foi o mesmo: uma quantidade grande de peixinhos no puçá. Ficamos tão empolgados que nem vimos o tempo passar. Só quando enchemos grande parte do saco plástico com os peixes e pitus é que retornamos ao acampamento. No caminho, ainda pegamos o cacho de banana e uvaias no chão da mata.

Ao chegar ao acampamento, erguemos nossa carga em triunfo:

– Está vendo? Então, quem é que é o mala da nossa turma? – disse, em desafio, me dirigindo ao Nando.

Ele respondeu despeitado:

– Também, com a minha perna desse jeito...

Fizemos um verdadeiro banquete naquele dia. Seguindo a sugestão culinária do Nando, passamos os peixinhos na farinha e fritamos. Ficou uma delícia! Ah, eu não trocava um punhado de peixes daqueles, comido naquele fim de mundo em companhia dos meus amigos, por nada. O Nando deu um cutucão no Jayme:

– Me diga uma coisa: aquele caviar fedorento que você serviu pra gente na sua casa é melhor que esses peixinhos?

– Olha, sou obrigado a confessar que não. Esses peixes estão mesmo ótimos! – disse ele, avançando sobre a panela com gulodice.

De sobremesa, nos deliciamos com bananas caramelizadas. Depois do almoço descansamos um pouco, enquanto o Nando mergulhava o pé na água quente e fazia exercícios. Ele não suportava mais ficar ali parado enquanto a gente levava a glória pelas expedições bem-sucedidas.

– Juro que amanhã vou com vocês de qualquer jeito! Nem que tenha que improvisar uma muleta!

Lá pelo meio da tarde, o céu começou a escurecer, e trovoadas ressoaram pelo vale.

– Acho melhor a gente reforçar o abrigo, ou vamos ficar todos molhados – aconselhou o Nando.

Fui pegar mais palmas e galhos enquanto a Lucinha, o Jayme e o Nando davam retoques no abrigo. Reforçamos o teto, improvisamos paredes do lado, levamos a madeira seca para dentro e nos esprememos aguardando o dilúvio que não demorou a vir. Era um pé-d'água muito forte. Queria ver o que seria dormir na noite fria, sem ter ao menos um cobertor e uma fogueira decente.

Com muito esforço, e depois de muitas tentativas, o Nando conseguiu acender o fogo sob o abrigo. Comemos mais algumas bananas fritas e nos preparamos para mais uma sessão de leitura. Era muito cedo e ninguém estava com sono. Comecei a ler uma passagem em que Jacinto ficava sabendo de um incidente em suas terras em Portugal. Uma tempestade havia arrasado uma velha igrejinha "onde jaziam sepultados os avós de Jacinto desde os tempos de el-rei D. Manuel. Os ossos veneráveis desses Jacintos jaziam agora soterrados sob um montão informe de terra e pedra". Essa notícia, de certo modo, tinha mexido com ele, a ponto de ter ordenado a seu procurador que fizesse de tudo para recolher os ossos de seus antepassados e lhes dar uma sepultura digna.

Na sequência, li um trecho em que o Zé Fernandes, depois de muito tentar, afinal conseguira tirar o Jacinto de casa para irem dar um passeio até onde operários erguiam a basílica do Sacré-Coeur, em Paris:

> *Mas a Basílica em cima não nos interessou, abafada em tapumes e andaimes, toda branca e seca, de pedra muito nova, ainda sem alma. E Jacinto, por impulso bem Jacíntico, caminhou gulosamente para a borda do terraço, a contemplar Paris. Sob o céu cinzento, na planície*

cinzenta, a Cidade jazia, toda cinzenta, como uma vasta e grossa camada de caliça e telha. E na sua imobilidade e na sua mudez, algum rolo de fumo, mais tênue e ralo que o fumear dum escombro mal apagado, era todo o vestígio visível da sua vida magnífica.

Então chasqueei risonhamente o meu Príncipe. Aí estava pois a Cidade, augusta criação da Humanidade. (...) E o 202, o soberbo 202, com os seus arames, os seus aparelhos, a pompa da sua Mecânica, os seus trinta mil livros? Sumido, esvaído na confusão de telha e cinza! (...) Onde estão os teus Armazéns servidos por três mil caixeiros? E os Bancos em que retine o ouro universal? E as Bibliotecas atulhadas com o saber dos séculos? Tudo se fundiu numa nódoa parda que suja a Terra. (...)

E ante estes clamores, lançados com afável malícia para espicaçar o meu Príncipe, ele murmurou, pensativo:

– Sim, é talvez tudo uma ilusão... E a Cidade a maior ilusão!

Tão facilmente vitorioso redobrei de facúndia. Certamente, meu Príncipe, uma Ilusão! E a mais amarga, porque o Homem pensa ter na Cidade a base de toda a sua grandeza e só nela tem a fonte de toda a sua miséria. Vê, Jacinto! Na Cidade perdeu ele a força e beleza harmoniosa do corpo, e se tornou esse ser ressequido e escanifrado ou obeso e afogado em unto, de ossos moles como trapos, de nervos trêmulos como arames, (...) Os sentimentos mais genuinamente humanos logo na Cidade se desumanizam! (...)

E ante estas encanecidas e veneráveis invectivas, retumbadas pontualmente por todos os Moralistas bucólicos, desde Hesíodo, através dos séculos – o meu Príncipe vergou a nuca dócil, como se elas brotassem, inespera-

das e frescas, duma Revelação superior, naqueles cimos de Montmartre:

– Sim, com efeito, a Cidade... É talvez uma ilusão perversa!

– Custou, mas finalmente esse tonto do Jacinto tomou consciência de que a cidade não está com nada! – disse o Nando, me interrompendo.

– Genial este trecho! – interveio a Lucinha. – Gostei muito quando ele fala que o homem, nas cidades, se desumaniza, se enfeia. Vocês já repararam que muitas pessoas em São Paulo parecem encovadas, sem alegria, sem vida, que boa parte daquela gente que vai correr no Ibirapuera é barriguda, pelancuda, branca que nem papel?

Começamos a rir. Ela tinha razão. Mas será que isso era mesmo causado pelo fato de os habitantes viverem numa cidade grande, se estressando, comendo mal, dormindo pouco, sem praticar atividades físicas?

– Está certo, concordo, a cena é impressionante – interveio o Jayme. – Quando o narrador fala da Paris do século XIX vista do alto, parece que estou vendo São Paulo do meu apartamento. Esse talvez seja um problema comum a todas as metrópoles. Mas essa coisa da constituição física das pessoas... será mesmo que o homem do campo tem um físico melhor, uma vida mais saudável? Não é o que a gente vê nos documentários sobre as pessoas que moram no sertão, por exemplo.

– Tudo bem – disse a Lucinha –, você venceu: isso depende de muitos fatores, que passam inclusive pelo acesso ao saneamento básico, a bons hospitais, a uma boa alimentação e educação... Mas, no romance, a gente vê uma coisa horrível que talvez só aconteça nas cidades.

– O quê? – o Jayme a desafiou.

– Por favor, me passa o livro, Joãozinho.

Entreguei *A cidade e as serras* para a Lucinha que, pegando a lanterna, percorreu a página em que estávamos. Parando subitamente, ela disse:

– Olha, achei bacana quando ele fala que, nas cidades, o homem é escravo das necessidades, dos seus desejos.

E leu um fragmento:

> *Na Cidade findou a sua liberdade moral: cada manhã ela lhe impõe uma necessidade, e cada necessidade o arremessa para uma dependência.*

– Parece que o narrador quer mostrar que, na cidade, o homem nunca é livre, pois se torna escravo dos seus desejos, das suas vontades...

Ela parou de falar um pouco e ficou refletindo, com seus olhos brilhantes muito abertos, e logo continuou:

– Isto é, quanto mais ele tem, mais deseja, e seu desejo nunca pode ser satisfeito. E quando tem as coisas, vê que elas não valem nada. Acho que o homem moderno é como um viciado em drogas, que está sempre precisando delas pra conseguir ter barato, pra poder viver com alegria, com intensidade.

– Meus parabéns! Você vale ouro, garota! – disse o Nando batendo palmas, com admiração, e atraindo a Lucinha para lhe dar um beijo.

– O Zé Fernandes está certo – eu disse do meu canto. – Nessa ânsia de ter tudo, o homem acaba sacrificando a humanidade, o amor e a inteligência.

Reli, então, outro trecho em que o narrador falava exatamente disso. Do amor visto apenas como uma mercadoria:

Considera esses vastos armazéns com espelhos, onde a nobre carne de Eva se vende, tarifada ao arrátel, como a de vaca! Contempla esse velho Deus do Himeneu, que circula trazendo em vez do ondeante facho da Paixão a apertada carteira do Dote!"

E da inteligência que se anula:

Nesta densa e pairante camada de Ideias e Fórmulas que constitui a atmosfera mental das Cidades, o homem que a respira, nela envolto, só pensa todos os pensamentos já pensados, só exprime todas as expressões já exprimidas (...).

Como o assunto tinha causado tanta polêmica, instigado por meus amigos, continuei a leitura:

E se ao menos essa ilusão da Cidade tornasse feliz a totalidade dos seres que a mantêm... Mas não! Só uma estreita e reluzente casta goza na Cidade os gozos especiais que ela cria. O resto, a escura, imensa plebe, só nela sofre, e com sofrimentos especiais que só nela existem! Deste terraço, junto a esta rica Basílica consagrada ao Coração que amou o Pobre e por ele sangrou, bem avistamos nós o lôbrego casario onde a plebe se curva sob esse antigo opróbrio de que nem Religiões, nem Filosofias, nem Morais, nem a sua própria força brutal a poderão jamais libertar! Aí jaz, espalhada pela Cidade, como esterco vil que fecunda a Cidade. (...) Irremediável, é, pois, que incessantemente a plebe sirva, a plebe pene! A sua esfalfada miséria é a condição do esplendor sereno da Cidade. Se nas suas tigelas fumegasse a justa ração de caldo – não poderia aparecer nas baixelas de prata a luxuosa porção de foie-gras *e túbaras que são o orgulho da Civilização. Há andrajos em trapeiras – para que as belas Madamas de Oriol, resplandecentes de sedas e rendas, subam em doce ondulação, a escadaria da Ópera. Há mãos regeladas que se estendem e beiços sumidos que agradecem o dom magnânimo dum* sou *– para que os Efrains tenham dez milhões no Banco de França, se aqueçam à chama rica da lenha aromática, e surtam de colares de safiras as suas concubinas, netas dos Duques de Atenas. E um povo chora de fome, e da fome dos seus pequeninos – para que os Jacintos, em Janeiro, debiquem, bocejando, sobre pratos de Saxe, morangos gelados em Champanhe e avivados dum fio de éter!*

– E eu comi dos teus morangos, Jacinto! Miseráveis, tu e eu!

Ele murmurou, desolado:

– É horrível, comemos desses morangos... E talvez por uma ilusão!

Nem preciso dizer o quanto fiquei impressionado com as coisas que o Zé Fernandes dizia com tanta veemência ao Jacinto. Sobretudo com a ideia de que o acúmulo de riquezas se dava pela exploração dos mais pobres e de que a falta de comida nos pratos de uns era a razão das comidas ricas e exóticas nos pratos de outros.

Ergui os olhos e fitei o Jayme. Reparei que ele estava de cabeça baixa, cutucando o chão com um graveto. Me veio então à mente a imagem do enorme apartamento dele, onde moravam apenas quatro pessoas, em contraste com os miseráveis barracos da periferia; de sua geladeira dúplex atulhada de coisas extravagantes, em contraste com as latas de lixo onde os mendigos da cidade fuçavam em busca de comida...

Interrompendo meus pensamentos, o Jayme levantou a cabeça e disse com amargura:

– É, não é justo mesmo umas pessoas terem demais e outras não terem nada...

Em seguida, deitou-se na sua cama de galhos e folhas e virou o rosto para o outro lado. Senti um impulso muito grande de ir até meu amigo e consolá-lo, dizendo que ele não tinha culpa daquilo, que ele era uma pessoa boa, generosa. Mas achei melhor deixá-lo sozinho, refletindo. Olhei para meus amigos. O Nando e a Lucinha também pareciam tristes. Talvez tivessem sentido pelo Jayme o mesmo que eu e não soubessem o que dizer.

O melhor era deitar e dormir. Nada como um dia depois do outro para melhorar o humor. Aquecido precariamente pelas brasas da pequena fogueira, acabei adormecendo em meu leito duro como uma pedra.

• 10 •

Escrúpulo moral

Abri os olhos. Eu estava todo encolhido e sentia muito frio. O sol ameaçava sair, escondido atrás de nuvens ainda escuras. Para quem está acostumado aos confortos da cidade, não existe sensação pior do que acordar num acampamento improvisado. Ah, que falta sentia da minha cama macia, de uma ducha quente seguida de uma xícara de café com leite!

A Lucinha e o Nando estavam em torno da fogueira. Improvisavam nosso café da manhã.

– O pó de café já está no fim – ela disse, balançando a cabeça. – E não tem mais nenhuma bolacha pra comer, a não ser as que reservamos pra pescaria.

– Quanto ao café – observou o Nando –, amanhã, podemos reutilizar o pó de hoje. Vai ficar ralo, mas é melhor que nada. Agora, pra comer, o negócio é comer bananas...

– Também dá pra preparar uns bolinhos de farinha de trigo – sugeriu a Lucinha. – Acredito que não seja muito difícil de fazer...

Enquanto a gente tomava o café quente, acompanhado dos bolinhos e bananas, observei meus amigos. As roupas estavam rasgadas e sujas, os cabelos empastados. O Nando e a Lucinha estavam pior, porque pelo menos o Jayme e eu havíamos tomado banho na lagoa. Sem poder me conter, caí na gargalhada.

– O que foi? Ficou de bobeira? – perguntou o Nando, de mau humor.

– Vocês precisam de um espelho pra ver em que estado estão... – eu disse, ainda rindo.

– E você? – rebateu a Lucinha. – Também ia ser bom dar uma olhada no espelho pra você ver seu estado lastimável!

A gente continuou com aquela brincadeira por mais algum tempo, mas o Jayme permanecia quieto, com a cabeça abaixada, tomando lentamente seu café. Será que ele ainda estava sob o efeito do que havíamos lido e discutido na noite anterior?

Quando levantamos para procurar comida, o Nando insistiu que queria ir junto.

– Mas o teu pé ainda não está bom, Bebê! – ralhou a Lucinha.

– Não quero nem saber! Não aguento mais ficar parado. E, depois, preciso urgentemente de um banho.

Ele improvisou uma muleta com um tronco que terminava numa forquilha e, apoiando um dos braços no ombro da namorada, disse, com determinação:

– Vamos lá, galera!

Como eles andavam devagar, eu e o Jayme tomamos a dianteira. O sol já brilhava entre as nuvens, o que serviu para nos aquecer. E assim, pouco a pouco, fui recuperando o ânimo. A certa altura da caminhada, paramos um pouco para esperar nossos amigos. O Jayme tinha os olhos fixos em algum ponto ao longe. De repente, sem mais nem essa, ele disse:

– Isso tudo é mesmo muito bonito. Devo admitir que a natureza intocada, selvagem, tem muito mais encanto que qualquer jardim na cidade. Talvez por preguiça, sempre gostei da comodidade, do conforto, mas em tão poucos dias vi como é bom apreciar a mata, ver a beleza das flores, ouvir o ruído do vento, dos passarinhos. Pra falar a verdade, há muito que não me sentia tão bem assim.

Em seguida, ele deu um grande bocejo e acrescentou:

– Não dormi direito à noite...

– Também, com a cama dura e o frio...

– Não foi só por causa da cama e do frio. Fiquei um tempão pensando sobre aquele trecho que você leu ontem.

Eu não disse nada, e ele continuou:

– Se você quer saber, acho que o Zé Fernandes está certo. O homem é lobo do homem e, nesse caso, os mais fracos, os mais desprotegidos, sempre se danam.

Jayme dizia aquilo com raiva, olhando fixamente para a frente:

– E, sendo assim, concluo que sou um cara egoísta, porque nunca me preocupei com isso. Veja, Joãozinho, o meu velho, que é um industrial, um capitalista, mesmo assim, vem fazendo muitas reformas na fábrica, comprando novos filtros, planejando limpar o riacho, reurbanizar a favela. Eu, que não sou nem industrial e muito menos capitalista, nunca me interessei por isso. Sempre fiquei fechado no meu mundinho, sem querer olhar o que acontecia ao meu redor.

– Mas isso tudo pode ser mudado, Jayme. É só você...

– Mudado como? – ele disse, com angústia na voz e voltando o rosto para mim.

– Ter consciência do problema já é uma mudança.

O Jayme socou o ar.

– Não acredito. O inferno está cheio de pessoas com boas intenções. Mais do que mudar, é preciso ir a fundo nisso...

Nosso diálogo foi interrompido pelo Nando, que gritava:

– Ei! Vocês aí! Não podem ir mais devagar?

Era muito engraçado o jeito que o Nando andava, apoiado num pé, erguendo o outro e balançando o corpo. Não pude deixar de rir da cara dele:

– Sabe o que você parece, cara? Um besouro manco: zzzz-toc, zzzz-toc, zzzz-toc!

Ele levantou a muleta improvisada e a brandiu no ar:

– Você vai ver quem é o besouro manco quando eu te der umas porradas com isso!

E, assim, fomos caminhando pela mata. Quando chegamos diante da lagoa, o Nando e a Lucinha ficaram maravilhados com as águas límpidas, com a grande quantidade de peixes nadando em meio às algas do fundo.

– O último a cair na lagoa é um gambá fedido! – berrou a Lucinha, se atirando na água com roupa e tudo.

O "gambá fedido" sobrou para o Nando... Nós ficamos grande parte da manhã nadando, mergulhando, pegando peixes, jogando água um no outro. Parecia que a gente tinha voltado a ser criança. Mas era tão bom que isso acontecesse! Estar ali, junto dos amigos, curtindo a natureza, brincando inconsequentemente, sem pensar em nada...

Então, sem que esperássemos, aconteceu um acidente. Enquanto a gente descansava na margem, o Jayme tinha voltado a nadar, atravessando a lagoa em todas as direções. Até que, num determinado momento, tive a impressão de que ele estava se aproximando perigosamente do limite do barranco, onde, como numa represa feita por castores, havia um ajuntamento de pedras, galhos e troncos.

– Jayme! Cuidado aí! – gritou o Nando, levantando o corpo.

Como que fazendo um desafio, ele apoiou a cabeça na barreira natural, por onde passava a água que caía no abismo, sorriu e gritou de volta:

– Cuidado por quê? Isso aqui está uma delí...

O Jayme não terminou a palavra, porque alguma coisa em que ele se apoiava cedeu. Ouvimos um ronco, como se a água tivesse começado a escoar com mais força. O Jayme deu um grito e tentou se segurar em algo, mas foi arrastado pela força da corrente. Antes que caísse no abismo, contudo, conseguiu se agarrar numa pedra. Mas percebi que sua situação era muito delicada, porque devia haver muito limo no rochedo. Mais que depressa, a Lucinha e eu nos levantamos e corremos pela margem na direção do Jayme. Atrás de nós, o Nando vinha manquitolando e gritando para o Jayme manter a calma.

Chegamos bem a tempo, porque o Jayme parecia exausto, tentando desesperadamente resistir contra a forte corrente. Me deitei de comprido numas pedras que me pareceram mais seguras e estiquei o braço na direção dele. O Nando, por sua vez, ajudado pela Lucinha, esticava o galho que usava como muleta. Segurando na minha mão e no pedaço de pau, ele largou a pedra escorregadia. Com todo cuidado, fomos puxando o Jayme em nossa direção, até que, num movimento rápido, o Nando o abraçou com força e o trouxe para a segurança da margem da lagoa.

O Jayme, muito pálido e respirando fundo, caiu deitado de costas.

– Como é, cara, engoliu muita água? – o Nando disse, todo solícito, tentando brincar.

O Jayme apenas balançou a cabeça. Meu coração batia descompassado. Tinha sido por pouco! Se a gente demorasse mais alguns segundos para socorrê-lo, com certeza nosso amigo teria caído lá embaixo.

– E aí, querido, como você está? – perguntou a Lucinha, limpando a cara dele, toda suja de barro.

– Estou bem... Deixa eu descansar mais um pouco...

Quando ele começou a se sentir melhor, saímos da beira da lagoa e atravessamos a mata, carregando o saco com os peixes e as frutas. Felizmente, o Jayme logo se recuperou do susto. Pouco depois, já estava brincando com a situação. E assim, caminhando vagarosamente, devido à carga e à dificuldade em andar do Nando, chegamos ao acampamento. Bem a tempo, porque novamente tinha começado a chover. E, dessa vez, era uma chuva bem fina que não ia passar logo. Isso nos obrigaria a ficar debaixo do abrigo o resto do dia. Assim, a gente não tinha alternativa, senão comer e continuar com a leitura de *A cidade e as serras.*

Pouco depois, com o estômago satisfeito, nos acomodamos em torno de uma fogueira. Já era fim da tarde e a escuridão vinha descendo lentamente. Peguei o livro. Tinha chegado ao trecho em que o Jacinto, tomado por um escrúpulo moral, havia resolvido viajar para suas terras, em Tormes, Portugal. É que ele queria participar da cerimônia do transporte dos ossos de seus antepassados para um túmulo decente:

> *– Pois não te parece, Zé Fernandes? Não é por causa dos outros avós, que são ossos vagos, e que eu não conheci. É por causa do avô Galião... Também não o conheci. Mas este 202 está cheio dele; tu estás deitado na cama dele; eu ainda uso o relógio dele. Não posso abandonar ao Silvério e aos caseiros o cuidado de o instalarem no seu jazigo novo. Há aqui um escrúpulo de decência, de elegância moral... Enfim, decidi. Apertei os punhos na cabeça, e gritei – vou a Tormes! E vou!... e tu vens!*

Mas, alertado pelo Zé Fernandes, Jacinto soube que sua propriedade estava "medonha", inabitável, sem móveis, com as salas usadas para secar milho. Desse modo, o Jacinto, antes de partir, ordenou que pintassem, assoalhassem e envidraçassem os aposentos e um estofador fosse forrar os móveis, fazer cortinas. Não contente com isso, ainda enviou livros, algumas máquinas, para que tivesse o máximo de conforto durante sua estada obrigatória em Tormes. Em outras palavras, pretendia transplantar para sua terra parte da sua amada Paris. E o narrador contava sobre as providências tomadas para a viagem:

> *(...) De todos os armazéns de Paris chegavam cada manhã fardos, caixas, temerosos embrulhos que os embaladores desfaziam, atulhando os corredores de montes de palha e de papel pardo, onde os nossos passos açodados se enrodilhavam. O cozinheiro, esbaforido, organizava a remessa de fornalhas, geleiras, bocais de trufas, latas de conservas, bojudas garrafas de águas minerais. Jacinto, lembrando as trovoadas da serra, comprou um imenso para-raios. Desde o amanhecer, nos pátios, no jardim, se martelava, se pregava, com vasto fragor, como na construção duma cidade. E o desfilar das bagagens, através do portão, lembrava uma página de Heródoto contando a marcha dos Persas.*
>
> *Das janelas, Jacinto, com o braço estendido, saboreava aquela atividade e aquela disciplina:*
>
> *– Vê tu, Zé Fernandes, que facilidade!... Saímos do 202, chegamos à serra, encontramos o 202. Não há senão Paris!*

Não pudemos deixar de rir do ridículo daquilo tudo. O Nando, que não morria de amores pelo Jacinto, ainda observou:

– Mas esse cara é mesmo um nó cego! Ora, onde já se viu, no alto da serra, em Portugal, querer criar uma cópia de Paris?

Na continuação da leitura, ficamos sabendo que, afinal, o Jacinto e o Zé Fernandes, providos de todos os confortos possíveis, munidos de uma grande quantidade de malas, acompanhados de criados, deixavam Paris, de trem, na direção de Tormes. Na sequência, viemos a descobrir que a viagem, que parecia tranquila, acabou se transformando numa confusão só. É que, no meio do caminho, a grande bagagem do Jacinto e do Zé Fernandes extraviou, deixando-os quase sem nada, a não ser com a roupa do corpo.

Sentindo um súbito cansaço, parei de ler e passei o romance ao Jayme:

– Continua...

Ele pegou o livro e prosseguiu, entrando numa passagem em que se falava do instante em que o Jacinto tinha o primeiro contato com as serras:

> *(...) E começamos a trepar o caminho, que não se alisara nem se desbravara desde os tempos em que o trilhavam, com rudes sapatões ferrados, cortando de rio a monte, os Jacintos de século XIV! Logo depois de atravessarmos uma trêmula ponte de pau, sobre um riacho quebrado por pedregulhos, o meu Príncipe, com o olho de dono subitamente aguçado, notou a robustez e a fartura das oliveiras... – E em breve os nossos males esqueceram ante a incomparável beleza daquela serra bendita!*
>
> *Com que brilho e inspiração copiosa a compusera o divino Artista que faz as serras, e que tanto as cuidou, e tão ricamente as dotou, neste seu Portugal bem-amado! (...) Em socalcos verdejavam laranjais rescendentes. Ca-*

minhos de lajes soltas circundavam fartos prados com carneiros e vacas retouçando: – ou mais estreitos, entalados em muros, penetravam sob ramadas de parra espessa, numa penumbra de repouso e frescura. Trepávamos então alguma ruazinha de aldeia, dez ou doze casebres, sumidos entre figueiras, onde se esgaçava, fugindo do lar pela telha vã, o fumo branco e cheiroso das pinhas. Nos cerros remotos, por cima da negrura pensativa dos pinheirais, branquejavam ermidas. O ar fino e puro entrava na alma, e na alma espelhava alegria e força. Um esparso tilintar de chocalhos de guizos morria pelas quebradas...

Jacinto adiante, na sua égua ruça, murmurava:

– Que beleza!

E eu atrás, no burro de Sancho, murmurava:

– Que beleza!

Frescos ramos roçavam os nossos ombros com familiaridade e carinho. Por trás das sebes, carregadas de amoras, as macieiras estendidas ofereciam as suas maçãs verdes, porque as não tinham maduras. Todos os vidros duma casa velha, com a sua cruz no topo, refulgiram hospitaleiramente quando nós passamos.

– Que trecho mais lindo! – murmurou a Lucinha, interrompendo a leitura.

– Lindo mesmo – concordei. – Vocês repararam que, além de mostrar toda a beleza da serra, com suas árvores, com seus riachos, o narrador ainda dá a entender que a natureza parece se integrar com o ser humano?

– Ah! – disse o Jayme, num tom muito crítico, como se houvesse tido uma recaída, devido ao acidente. – O que ele está fazendo é poesia. Na verdade, a natureza nem sempre é tão acolhedora assim. Muito pelo contrário, ela costuma ser bastante hostil. Pega esses dois e põe pra andar na selva amazônica. Queria ver como iam reagir ao ambiente hostil...

– Pior é a selva da cidade! – protestou o Nando. – Quer lugar mais hostil?

– Lá vem você também fazendo poesia – gozou o Jayme. – Não existe "selva da cidade". O que existe é o mau uso do espaço urbano!

A Lucinha fez um sinal com a mão:

– Gente, vamos parar com a discussão! Estou curiosa para saber o que vem agora...

O Jayme prosseguiu a leitura até o trecho em que o Jacinto e o Zé Fernandes chegavam, afinal, no casarão de Tormes:

> *E, entre o rosnar dos cães, num bracejar desolado, balbuciou uma história que por seu turno apavorava Jacinto, como se o negro muro do casarão pendesse para desabar. O Melchior não esperava S. Ex.ª!... (Ele dizia* sua incelência*)... O sr. Silvério estava para Castelo de Vide desde Março, com a mãe, que apanhara uma cornada na virilha. E decerto houvera engano, cartas perdidas... Porque o sr. Silvério só contava com S. Ex.ª em Setembro, para a vindima! Na casa as obras seguiam devagarinho, devagarinho... O telhado, no sul, ainda continuava sem telhas, muitas vidraças esperavam, ainda sem vidros; e, para ficar, Virgem Santa, nem uma cama arranjada!...*
>
> *Jacinto cruzou os braços numa cólera tumultuosa que sufocava. Por fim, com um berro:*
>
> *– Mas os caixotes? Os caixotes, mandados de Paris, em Fevereiro, há quatro meses?...*
>
> *(...) Os caixotes?... Não, não tinha os caixotes!*
>
> *– E agora, Zé Fernandes?*

Encolhi os ombros:

– Agora, meu filho, só vires comigo para Guiães... Mas são duas horas a cavalo. E não temos cavalos! O melhor é ver o casarão, comer a boa galinha que o nosso amigo Melchior nos assa no espeto, dormir numa enxerga, e amanhã cedo, antes do calor, trotar para cima, para a tia Vicência.

Jacinto replicou, com uma decisão furiosa:

– Amanhã troto, mas para baixo, para a estação!... E depois, para Lisboa!

E subiu a gasta escadaria do seu solar com amargura e rancor. (...) As janelas, sem vidraças, conservavam essas maciças portadas, com fechos para as trancas, que, quando se cerram, espalham a treva. Sob os nossos passos, aqui e além, uma tábua podre rangia e cedia.

– Inabitável! – rugiu Jacinto surdamente. – Um horror! Uma infâmia!... (...)

E pensando nos luxuosos colchões de penas e molas, tão prodigamente encaixotados no 202, desafoguei também a minha indignação:

– Mas os caixotes, caramba?... Como se perdem assim trinta e tantos caixotes enormes?...

O Jayme parou de ler e soltou uma risada:

– Muito bonito isso de falar da serra, da natureza, mas quero ver os dois, acostumados com o conforto, se ajeitarem nessa casa horrorosa.

– Não enche o saco, continua – disse o Nando, parecendo cada vez mais interessado na história.

E justo ele que dizia detestar livros...

Na sequência, alternavam-se trechos em que Jacinto mostrava horror pelo estado de abandono da casa e encanto pela beleza da paisagem, pela tranquilidade do lugar: "Daquela janela, aberta sobre as serras, entrevia uma outra vida, que não anda somente cheia do Homem e do tumulto da sua obra". E a gente chegava ao momento em que o Jacinto e o Zé Fernandes faziam sua primeira refeição nas serras:

> *Deste enlevo nos arrancou o Melchior com o doce aviso do "jantarinho de suas incelências". Era noutra sala, mais nua, mais abandonada: – e aí logo à porta o meu supercivilizado Príncipe estacou, estarrecido pelo desconforto, e escassez e rudeza das coisas. Na mesa, encostada ao muro denegrido, sulcado pelo fumo das candeias, sobre uma toalha de estopa, duas velas de sebo em castiçais de lata alumiavam grossos pratos de louça amarela, ladeados por colheres de estanho e por garfos de ferro. (...) E na cadeira senhorial reservada ao meu Príncipe, derradeira alfaia dos velhos Jacintos, de hirto espaldar de couro, com a madeira roída de caruncho, a clina fugia em melenas pelos rasgões do assento puído.*
>
> *Uma formidável moça, de enormes peitos que lhe tremiam dentro das ramagens do lenço cruzado, ainda suada e esbraseada do calor da lareira, entrou esmagando o soalho, com uma terrina a fumegar. E o Melchior, que seguia erguendo a infusa do vinho, esperava que suas Incelências lhe perdoassem porque faltara tempo para o caldinho apurar... Jacinto ocupou a sede ancestral – e durante momentos (de esgazeada ansiedade para o caseiro excelente) esfregou energicamente, com a ponta da toalha, o garfo negro, a fusca colher de estanho. Depois, desconfiado, provou o caldo, que era de galinha e recendia. Provou – e levantou para mim, seu camarada de misérias, uns olhos que brilharam, surpreendidos. Tor-*

nou a sorver uma colherada mais cheia, mais considerada. E sorriu, com espanto: – "Está bom!"

Estava precioso: tinha fígado e tinha moela; o seu perfume enternecia; três vezes, fervorosamente, ataquei aquele caldo.

– Também lá volto! – exclamava Jacinto com uma convicção imensa. – É que estou com uma fome... Santo Deus! Há anos que não sinto esta fome. (...)

– Ótimo!... Ah, destas favas, sim! Ó que fava! Que delícia!

– Ah, bem que eles podiam deixar um pouco dessa comida pra mim... – gemeu o Nando, cujos olhos brilhavam intensamente sob a luz da fogueira. – Tô com uma fome danada. Seria capaz de destroçar o frango que eles estão comendo.

Ninguém riu, apesar da intervenção dele ter sido muito engraçada. Acho que era por causa da fome. Senti meu estômago roncar e pensei como o Eça de Queirós criava uma cena ao mesmo tempo tão simples e com tanta riqueza de detalhes. Impossível não se extasiar com aquela refeição. Impossível não se comover com o modo de ele mostrar a transformação de Jacinto. O personagem que, na cidade, diante de pratos exóticos, jamais mostrava apetite algum, agora devorava, com voracidade, um simples caldo de galinha acompanhado de favas.

E sob o impacto daquela refeição nas serras que alimentava os outros e não a nós, cada um virou para seu lado e procurou dormir... Um instante antes de fechar os olhos, sentindo o corpo dolorido sobre meu duro colchão, eu me lembrei de uma pequena cena do livro. O Zé Fernandes, no dia seguinte depois da ceia, ia embora para sua propriedade e deixava o Jacinto dormindo "com as mãos cruzadas sobre o peito, (...) beatificamente na sua enxerga de granito". Isso serviu para me consolar, porque a minha enxerga, pelo menos, era afofada com folhas...

• 11 •

Mal-estar

Quando acordei pela manhã, eu me sentia muito mal disposto. Meu nariz não parava de escorrer e eu tinha calafrios, como se estivesse com febre. Todos já estavam de pé. Me vendo ainda deitado e encolhido, a Lucinha se inclinou sobre mim e perguntou:

– O que foi, Joãozinho? Não está se sentindo bem?

– Acho que estou gripado.

– Então é melhor ficar descansando. Espera um pouquinho que vou pegar uma aspirina que vi na caixa de primeiros socorros.

Tomei a aspirina, o Nando avivou bem o fogo e o Jayme se abaixou e me deu um tapa no ombro:

– Te cuida, que a gente logo está de volta.

Eles se afastaram. Não me sentia nada bem: meu peito doía, e eu não conseguia respirar direito. Tentei dormir, mas não consegui. Então, peguei *A cidade e as serras* para ler. Assim, até que meus amigos voltassem com água e comida, o tempo passaria mais depressa.

Continuando a leitura do romance, fiquei sabendo que o Zé Fernandes, depois de retornar de viagem, para sua surpresa, ainda encontrou Jacinto em Tormes. Não bastasse isso, percebeu que o amigo tinha dado um belo arranjo no velho casarão:

Todas as janelas do solar rebrilhavam, com vidraças novas, bem polidas. A um canto do pátio notei baldes de cal e tigelas de tintas. Uma escada de pedreiro descansara durante o Dia Santo arrimada contra o telhado. E, rente ao muro da capela, dois gatos dormiam sobre montões de palha desempacotada de caixotes consideráveis.

– Bem – pensei eu. – Eis a Civilização!

Recolhi a égua, galguei a escada. Na varanda, sobre uma pilha de ripas, reluzia num raio de Sol uma banheira de zinco. Dentro encontrei todos os soalhos remendados, esfregados a carqueja. As paredes, muito caiadas, e nuas, refrigeravam como as dum convento. Um quarto, a que me levaram três portas escancaradas com franqueza serrana, era certamente o de Jacinto: a roupa pendia de cabides de pau; o leito de ferro, com coberta de fustão, encolhia timidamente a sua rigidez virginal (...) Em frente, no corredor, outro quarto repetia a mesma simplicidade. Certamente a previdência do meu Príncipe o destinara ao seu Zé Fernandes. Pendurei logo dentro, no cabide, o meu guarda-pó de lustrina.

Mas na sala imensa, onde tanto filosofáramos considerando as estrelas, Jacinto arranjara um centro de repouso e de estudo – e desenrolara essa "grandeza" que impressionava o Severo. As cadeiras de verga da Madeira, amplas e de braços, ofereciam o conforto de almofadinhas de chita. Sobre a mesa enorme de pau-branco, carpinteirada em Tormes, admirei um candeeiro de metal de três bicos, um tinteiro de frade armado de penas de pato, um vaso de capela transbordando de cravos. Entre duas janelas uma cômoda antiga, embutida, com ferragens lavradas, recebera sobre o seu mármore rosado o devoto peso dum Presépio, onde Reis Magos, pastores de surrões vistosos, cordeiros de esguedelhada lã, se apressavam através de alcantis para o menino, que na sua lapinha lhes abria os braços, coroado por uma enorme Coroa Real.

O que chamava a atenção no trecho era o fato de o Jacinto ter tornando a casa habitável, mas dando a ela um toque bem pessoal. Ao contrário do palacete, em que tudo era frio e impessoal, aqui cada coisa mostrava a mão do seu dono. Quando os objetos não tinham utilidade, decoravam sobriamente o ambiente, como o "vaso de capela transbordando de cravos". O que impressionava também era a escolha dos livros: alguns poucos clássicos, em vez da abundância absurda que havia no palacete de Paris e que ninguém lia.

Contudo, eu descobri que o Zé Fernandes não se espantava tão só com as mudanças na casa. Também se admirava das transformações sofridas por Jacinto nos poucos dias de sua ausência:

(...) Era o meu Príncipe. E muito decididamente, depois de me soltar do seu rijo abraço, o comparei a uma planta estiolada, emurchecida na escuridão, entre tapetes e sedas, que, levada para o vento e o sol, profusamente regada, reverdece, desabrocha e honra a Natureza! Jacinto já não corcovava. Sobre a sua arrefecida palidez de supercivilizado, o ar montesino, ou vida mais verda-

deira, espalhara um rubor trigueiro e quente de sangue renovado que o virilizava soberbamente. (...) Era um Jacinto novíssimo. (...)

Lentamente, gozando a frescura, o silêncio, a liberdade do vasto casarão, retrocedemos à sala que Jacinto já denominara a Livraria. *E, de repente, ao avistar num canto uma caixa com a tampa meio despregada, quase me engasguei, na furiosa curiosidade que me assaltou:*

– E os caixotes? Ó Jacinto?... Toda aquela imensa caixotaria que nós mandamos, abarrotada de Civilização? Soubeste? Apareceram?

O meu Príncipe parou, bateu alegremente na coxa:

– Sublime! Tu ainda te lembras daquele homenzinho, de saco a tiracolo, que nós admiramos tanto pela sua sagacidade, o seu saber geográfico?... Lembras? Apenas falei em Tormes, gritou que conhecia, rabiscou uma nota... Nem era necessário mais! "Ó! Tormes, perfeitamente, muito antigo, muito curioso!" Pois mandou tudo para Alba de Tormes, em Espanha! Está tudo em Espanha!

Cocei o queixo, desconsolado:

– Ora, ora... Um homem tão esperto, tão expedito, que fazia tanta honra ao progresso! Tudo para Espanha!... E mandaste vir?

– Não! Talvez mais tarde... Agora, Zé Fernandes, estou saboreando esta delícia de me erguer pela manhã, e de ter só uma escova para alisar o cabelo.

Considerei, cheio de recordações, o meu amigo:

– Tinhas umas nove.

– Nove? Tinha vinte! Talvez trinta! E era uma atrapalhação, não me bastavam!... Nunca em Paris andei bem penteado. Assim com os meus setenta mil volumes: eram tantos que nunca li nenhum. Assim com as mi-

nhas ocupações; tanto me sobrecarregavam, que nunca fui útil!

Tive um acesso de tosse que me deixou extenuado. Parei um pouco de ler e fiquei refletindo sobre as profundas mudanças de Jacinto. Ele estava mais forte, queimado de sol, cheio de energia, mas o que mais chamava a atenção era sua grande transformação interior. Agora, além de desprezar os excessos da civilização, de caçoar das futilidades de que se cercava (como as trinta escovas de cabelo, os setenta mil volumes da biblioteca), encontrava uma irmandade com a natureza. E era isso que o levava a se interessar pelas coisas práticas do campo:

> – *Era o carteiro. Já vês que não amuei inteiramente com a Civilização. Eis a imprensa!... Mas nada de* Fígaro, *ou da horrenda* Dois-Mundos! *Jornais de Agricultura! Para aprender como se produzem as risonhas messes, e sob que signo se casa a vinha ao olmo, e que cuidados necessita a abelha provida...*

Voltei a ler e descobri como havia sido a cerimônia de "trasladação dos ossos dos velhos Jacintos": algo muito simples, sem grandes ostentações, "quietinha, duma rústica e doce singeleza a cerimônia daqueles altos senhores". Depois de tudo isso, interessando-se cada vez mais por suas terras, o Jacinto propunha fazer uma grande revolução na propriedade, importando vacas inglesas, instalando uma fábrica de queijos e uma "imensa horta ajardinada, em que todos os legumes, clássicos ou exóticos, cresceriam, soberbamente".

Parei novamente com a leitura, porque comecei a sentir tonturas e náusea. Pensei até que fosse vomitar, mas nada aconteceu. Era só um mal-estar, uma fraqueza que me deixava sem vontade de fazer nada, resultado da maldita gripe que eu precisava combater. Como não tinha medicamentos adequados, achei que o melhor a fazer era me esquecer da doença. Por isso mesmo, voltei a me concentrar na minha leitura. Refleti, então, que a metamorfose sofrida por Jacinto não era tão radical assim. Ou seja: ele não havia passado bruscamente do estado de civilização para o da natureza selvagem. O campo descrito no livro era um campo ordenado pela boa vontade do homem. Cheguei à conclusão de que o ideal de uma vida estava no equilíbrio, finalmente conquistado pelo Jacinto.

Mais adiante, no capítulo X, li que o personagem, para seu espanto, descobre que havia miséria em suas terras:

> *E, então, surdiu por trás da parede do alpendre um rapazito, muito rotinho, muito magrinho, com uma careta miúda, toda amarela sob a porcaria, e onde dois grandes olhos pretos se arregalavam para nós, com vago pasmo e vago medo. Silvério imediatamente o conheceu.*
>
> *– Como vai a tua mãe? Escusas de te chegar para cá, deixa-te estar aí. Eu ouço bem. Como vai a tua mãe?*
>
> *Não percebi o que os pobres beicitos descorados murmuraram. Mas Jacinto, interessado:*
>
> *– Que diz ele? Deixe vir o rapaz! Quem é a tua mãe?*
>
> *Foi o Silvério que informou respeitosamente:*
>
> *– É a tal mulher que está doente, a mulher do Esgueira, ali do casal da figueira. E ainda tem outro abaixo deste... Filharada não lhe falta.*
>
> *– Mas este pequeno também parece doente! – exclamou Jacinto. – Coitado, tão amarelo!... Tu também estás doente?*

O rapazito emudecera, chupando o dedo, com os tristes olhos pasmados. E o Silvério sorria, com bondade:

– Nada! este é sãozinho... Coitado, é assim amarelado e enfezadito porque... Que quer V. Ex.ª? Mal comido! muita miséria... Quando há o bocadito de pão é para todo o rancho. Fomezinha, fomezinha!

Jacinto pulou bruscamente da borda do carro.

– Fome? Então ele tem fome? Há aqui gente com fome? (...)

– Homem! está claro que há fome! Tu imaginavas talvez que o Paraíso se tinha perpetuado aqui nas serras, sem trabalho e sem miséria... Em toda a parte há pobres, até na Austrália, nas minas de ouro. Onde há trabalho há proletariado, seja em Paris, seja no Douro...

O meu Príncipe teve um gesto de aflita impaciência:

– Eu não quero saber o que há no Douro. O que eu pergunto é se aqui, em Tormes, na minha propriedade, dentro destes campos que são meus, há gente que trabalhe para mim, e que tenha fome... Se há criancinhas, como esta, esfomeadas? É o que eu quero saber.

Lembrei que o Jacinto, na cidade, nunca havia se dado conta disso. A não ser quando o Zé Fernandes, naquele passeio até a basílica do Sacré-Coeur, o alertara sobre a questão. Mas, no campo, por conta própria, tomando consciência desse grave problema social, propunha-se a fazer uma autêntica revolução em suas terras:

– Pois, Silvério, eu não quero mais estas horríveis misérias na quinta.

O Procurador deu um jeito aos ombros, com um vago eh! eh! *de obediência e dúvida.*

– Antes de tudo – continuava Jacinto – mande já hoje chamar esse Dr. Avelino para aquela pobre mulher... E os remédios que os vão buscar logo a Guiães. E recomendação ao médico para voltar amanhã, e em cada dia; até que ela melhore... Escute! E quero, Silvério, que lhe leve dinheiro, para os caldos, para a dieta, uns dez ou quinze mil-réis... Bastará?

O Procurador não conteve um riso respeitoso. Quinze mil-réis! Uns tostões bastavam... Nem era bom acostumar assim, a tanta franqueza, aquela gente. Depois todos queriam, todos pechinchavam...

– Mas é que todos hão de ter – disse Jacinto simplesmente.

– V. Ex.ª manda! – murmurou o Silvério. (...)

– E as casas também... Aquela casa é um covil!... Gostava de abrigar melhor aquela pobre gente... E naturalmente, as dos outros caseiros são pocilgas iguais... Era necessário uma reforma! Construir casas novas a todos os rendeiros da quinta...

– A todos?... – O Silvério gaguejava – emudeceu.

E Jacinto balbuciava aterrado:

– A todos... Enfim, quero dizer... Quantos serão eles?

Silvério atirou um gesto enorme:

– São vinte e coisas... Vinte e três! se bem lembro. Upa! Upa! Vinte e sete... (...)

– Bem, meu amigo... eram uns seis contos de réis! Digamos dez, porque eu queria dar a todos alguma mobília e alguma roupa.

Então o Silvério teve um brado de terror:

– Mas então, Ex.mo Senhor, é uma revolução!

Ia continuar a leitura, quando percebi que meus amigos

se aproximavam, trazendo o saco plástico cheio de peixes, um cacho de bananas e o galão com água. Pus o livro de lado. Estranhamente, não sentia fome; sentia, na verdade, uma grande indisposição. Pus a mão na testa, que me pareceu muito quente. Infelizmente, o efeito da aspirina da Lucinha já havia cessado.

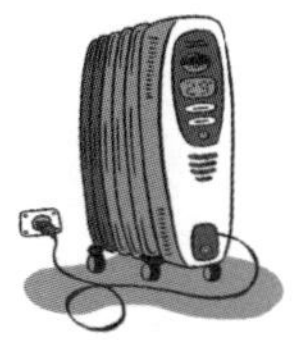

• 12 •

Febril

– Olha aqui, seu mala! – bradou o Nando. – Isso é que é peixe que se preze!

Ele sacudiu um peixe de uns dois palmos de comprimento diante do meu rosto.

– Ué, como você conseguiu isso? – perguntei com uma voz muito rouca, que mal reconheci como a minha.

– Conseguindo!

Cheio de entusiasmo, ele começou a contar como haviam cercado o peixe na lagoa. Que luta tinha sido pegar o bicho!

– Vamos assá-lo como fazem os índios. Enrolado em folhas de bananeira. Você vai ver que delícia.

Enquanto ele limpava o peixe, a Lucinha e o Jayme arrumavam as folhas de bananeira e atiçavam a fogueira. E o peixe, temperado apenas com sal e cercado com pedaços de banana, foi assado. O cheiro era bom, mas eu continuava a não sentir fome alguma. Só tinha vontade de beber água, muita água. Estranhando minha falta de apetite, o Nando perguntou:

– O que foi, cara? Não gostou do peixe?

– Sei lá, acho que estou com febre.

A Lucinha se aproximou e pôs a mão na minha testa:

– Puxa vida, está quente! Vou te dar outra aspirina.

Tomei o remédio e voltei a deitar. Eu tremia de frio. Meus amigos me olhavam, preocupados, e, às vezes, cochichavam entre si. Eu não tinha ânimo para nada. Meu corpo doía todo. E, para piorar, começou a cair um toró. O Nando reavivou a fogueira, e o Jayme pegou *A cidade e as serras*:

– Com esse tempo, nada melhor que uma boa leitura...

Ele começou a ler. Eu não conseguia me concentrar. Em parte, porque já havia lido aquelas passagens e também porque, sob o efeito da aspirina, sentia muito sono. De vez em quando, pescava uma palavra, uma frase, como "Tudo resplandecia de asseio e ordem. As portadas das janelas, cerradas, abrigavam do Sol que batia aquele lado de Tormes, escaldando os peitoris de pedra. Do soalho, borrifado de água, subia, na suavizada penumbra, uma frescura", e então sabia que estavam no trecho em que se falava das mudanças no casarão de Tormes. Depois, mergulhava num sono pesado, cheio de pesadelos. A Aninha voltava a me assombrar, me dizendo que não queria ficar comigo porque eu não dava atenção para ela, porque só pensava em mim. Eu tentava rebater isso, falando que a amava mais que tudo, que eu... Acordava, com o corpo coberto de suor, e ouvia o Jayme lendo, um comentário engraçado do Nando ou uma discussão entre eles:

– Não é que o Jacinto abandonou de vez a cidade! – bradava o Jayme. – Você está enganado, Nando! Ele alcançou um equilíbrio entre civilização e natureza. A prova disso é que ele faz grandes modificações na propriedade.

– Tá bem, tá bem, concordo, só que o mais importante é que ele deixa de ser o mauricinho cheio de frescuras que era, e começa a pegar no pesado. Isso que é importante na vida de um homem!

Tentei levantar a mão para dar meu palpite na conversa, mas não consegui. Voltei a dormir. Num determinado instante, despertei de novo com a voz do Jayme lendo um trecho em que se falava que Jacinto havia se tornado um grande benfeitor, reformando as moradias dos caseiros, planejando uma escola e uma creche para os filhos dos trabalhadores de sua propriedade. Depois, vinha a festa de aniversário do Zé Fernandes, à qual o Jacinto comparecia para conhecer a sociedade da região. E, de repente, apaguei, mergulhando de vez no poço escuro do sono.

* * *

Alguém me sacudia, "Joãozinho! Joãozinho!". A voz parecia vir de muito longe; eu queria abrir os olhos e não conseguia, minhas pálpebras pesavam como chumbo. "Joãozinho, toma este chá que fiz pra você." "Não quero chá, mãe", eu protestava. "Sou eu, a Lucinha, anda, vamos, você vai se sentir melhor." Eu bebia o chá, e o líquido quente escorria pela minha garganta. "Ai, minha cabeça, está doendo muito!" Mas não era só a cabeça, o corpo todo estava doendo, principalmente o peito, eu não conseguia respirar. Mergulhei de novo no sono. Quando acordei, senti frio misturado a um calor muito forte. Eu tremia ao lado do fogo. O Nando se debruçava sobre mim e dizia "Tó, veste a minha camiseta também, você tá com frio". Eu não queria pôr a camiseta dele, não era justo. Tentei falar isso, mas minha língua se enrolou e novamente mergulhei naquele buraco sem fundo.

* * *

De repente, alguém voltou a me sacudir com mais força:

– Joãozinho, acorda! Eles acharam a gente! – Era o Jayme que se debruçava sobre mim.

– Eles... eles... quem?

– Chegou o socorro! Vieram resgatar a gente.

Senti que me erguiam pelos braços e pelas pernas e me conduziam para fora do abrigo. Comecei a ouvir um barulho estranho que parecia vir do alto: pá-pá-pá-pá-pá-pá-pá-pá.

– Alguém... alguém... – murmurei – ... tá atirando na gente...

– O helicóptero, Joãozinho! Eles vão te erguer agora!

Subitamente, tive a sensação de que estava começando a subir. Um vento muito forte soprava em mim, me balançando de um lado para o outro. Em desespero, tentava me agarrar em alguma coisa, mas não encontrava nada para segurar. Ao mesmo tempo, continuava a ouvir aquele barulho irritante, que se tornava cada vez mais intenso: pá-pá-pá-pá-pá-PÁ-PÁ-PÁ-PÁ. Até que alguém me enrolou num cobertor e disse:

– Calma, garoto, você vai ficar bem.

Puseram uma máscara na minha cara e um sopro de ar fresco entrou pelo meu nariz. Foi aí que tornei a apagar.

• 13 •

Em recuperação

Quando acordei, a primeira coisa que vi foi mamãe e papai sorrindo para mim. Seria verdade ou era outro daqueles pesadelos? Tornei a fechar os olhos. Não, eu não queria que fosse um pesadelo. Abri os olhos. Era verdade: estava numa cama macia, com lençóis limpos e com papai e mamãe ao meu lado. Sem conseguir reprimir a emoção, comecei a chorar.

– Calma, Joãozinho, calma... – mamãe dizia carinhosamente, enquanto me abraçava. – Tudo acabou bem, felizmente. Vamos cuidar de você.

Parei de chorar. Sentia uma fraqueza enorme, mas a dor de cabeça, os tremores, o enjoo, haviam passado. Bastou eu dar uma olhada ao redor para perceber que estava num hospital.

– Desde quando estou aqui?

– Faz uma semana que você foi resgatado – respondeu meu pai.

– Uma semana?! Fiquei todo esse tempo dormindo?

Minha mãe fez um carinho em meu rosto e disse:

– Uma semana. Você chegou com uma febre altíssima, com pneumonia. Teve sorte que o resgataram a tempo.

Só depois eles me contaram que estive entre a vida e a morte e que meu estado, quando me resgataram, era muito ruim. Tão ruim que, nos primeiros dias, fiquei internado na UTI do hospital.

– E o Nando, a Lucinha, o Jayme?

– Estão ótimos – me tranquilizou papai. – Ficaram em observação, mas já deixaram o hospital faz tempo...

– E quando vou poder ir pra casa?

– Talvez hoje, dependendo do que o doutor Fonseca disser – meu pai respondeu. – Daqui a pouco ele está aqui pra te examinar.

Quando, afinal, o médico me examinou, medindo minha temperatura e a pressão, vi pela expressão dele que eu estava melhor. Tanto foi assim que o doutor Fonseca, depois de me dar um tapa de leve no ombro, disse, sorrindo:

– Muito bem, garoto! Está quase curado e pronto pra outra!

Ele disse que eu podia deixar o hospital, mas, por precaução, devia continuar em repouso por mais uma semana. E, assim, fui para casa, onde minha mãe, com o argumento de que eu havia emagrecido muito, de meia em meia hora me trazia uma vitamina, um suco, sanduíches, bolachas. Comia tudo aquilo com uma fome danada, ainda mais quando lembrava da dieta de banana e peixe do nosso acampamento improvisado.

Uma semana mais tarde, quando pensei que já dava para sair, minha mãe estrilou:

– De jeito nenhum! Você pode ter uma recaída!

– Mas, mãe, eu não estou sentindo mais nada... Não aguento mais ficar aqui! O doutor falou só uma semana...

– Espera mais um pouco. Tem feito muito frio, o que não é nada bom pra quem teve uma pneumonia grave.

E eu, que estava doido para rever os amigos, tomar um pouco de ar fresco, tendo que ficar fechado em casa! Mas ia discutir com mamãe? Resignado, planejei o que fazer naqueles dias de "encarceramento". Decidi terminar a leitura de *A cidade e as serras*. Para começar, reli os trechos que tinha ouvido muito mal, quando estava com a febre. Me inteirava então da festa de aniversário do Zé Fernandes. Na ocasião, o Jacinto, que era visto como um ser de outro planeta, tinha causado uma estranha e fria impressão na sociedade da serra:

> *E foi na sala, como se realmente entrasse um Príncipe, desses países do Norte onde os Príncipes são magníficos, muito distantes dos homens, e aterram as gentes. Um silêncio, como se o teto de carvalho descesse, nos esmagava: e todos os olhos se enristaram contra o meu desgraçado Jacinto (...) Todos os cavalheiros permaneciam reservados, observando o Príncipe, que subira à serra;*

E, nessa reunião social, as histórias curiosas, engraçadas, vividas em Paris e contadas pelo Zé Fernandes, não causavam nenhum efeito sobre aquela gente desconfiada e que Jacinto ainda precisava conquistar. Era como se eles pertencessem a mundos absolutamente distintos. Jacinto ao mundo refinado, exótico, moderno; os nobres de Tormes, ao mundo antigo, tradicional, conservador. Desse modo, Eça de Queirós talvez quisesse mostrar que a adaptação do personagem à terra de seus ancestrais não seria nada fácil.

Mais adiante, o Jacinto saía com o amigo num passeio a cavalo até a Flor de Malva, propriedade de um parente do Zé Fernandes, o tio Adrião. A intenção do Zé Fernandes era apresentá-lo a sua prima Joaninha, de quem falava maravilhas. No caminho, paravam numa taberna para beber e lá encontravam um estranho personagem, que dizia coisas reveladoras sobre o herói do romance:

Então, de trás da ombreira da taberna, uma grande voz bradou, cavamente, solenemente:

– Bendito seja o Pai dos Pobres!

E um estranho velho, de longos cabelos brancos, barbas brancas que lhe comiam a face cor de tijolo, assomou no vão da porta, apoiado a um bordão, com uma caixa de lata a tiracolo, e cravou em Jacinto dois olhinhos dum brilho negro, que faiscavam. Era o tio João torrado, o profeta da Serra... Logo lhe estendi a mão, que ele apertou, sem despegar de Jacinto os olhos, que se dilatavam mais negros. Mandei vir outro copo, apresentei Jacinto, que corara, embaraçado.

– Pois aqui o tem, o senhor de Tormes, que fez por aí todo esse bem à pobreza.

O velho atirou para ele bruscamente o braço, que saía cabeludo e quase negro duma manga muito curta.

– A mão!

E quando Jacinto lha deu, depois de arrancar vivamente a luva, João Torrado longamente lha reteve com um sacudir lento e pensativo, murmurando:

– Mão real, mão de dar, mão que vem de cima, mão já rara! (...)

Eu então debrucei-me para ele, mais em confidência:

– Mas, ó tio João, ouça cá! Sempre é certo você dizer por aí, pelos sítios, que El-Rei D. Sebastião voltara?

O pitoresco velho apoiou as duas mãos sobre o cajado, o queixo de espalhada barba sobre as mãos, e murmura-

va, sem nos olhar, como seguindo a percussão dos seus pensamentos:

– Talvez voltasse, talvez não voltasse... Não se sabe quem vai, nem quem vem. A gente vê os corpos, mas não vê as almas que estão dentro. Há corpos de agora com almas de outrora. Corpo é vestido, alma é pessoa... Na feira da Roqueirinha quem sabe com quantos reis antigos se topa, quando se anda aos encontrões entre os vaqueiros... Em ruim corpo se esconde bom senhor! (...) Dá gosto ver quem dá gosto aos tristes. Por cima de Tormes há uma estrela clara. E é trotar, trotar, que o dia está lindo!

Com a magra mão lançou um gesto para que seguíssemos.

O que me impressionou no trecho que eu acabava de ler era o fato de haver ali uma aproximação entre o Jacinto e a figura de dom Sebastião. Tinha aprendido nas aulas de literatura da professora Nina que esse rei havia se transformado no grande mito de Portugal. Isso, depois de morrer muito jovem na batalha de Alcácer-Kibir, em 1578, na África. Ela havia explicado que, para o povo português, era como se o rei não tivesse morrido. Cheios de esperança e muito carentes, os portugueses acreditavam que dom Sebastião um dia ia voltar e trazer de volta a glória perdida de Portugal. E assim se criava o Sebastianismo, uma crença que atravessava os séculos.

Jacinto, que vinha de longe e fazia tanto bem ao povo pobre da serra, começava a ser confundido com o rei. Era o que o Zé Fernandes fazia questão de lembrar, quando o amigo se espantava de ainda haver sebastianistas em Portugal: "Todos o somos ainda em Portugal, Jacinto! Na serra ou na cidade cada um espera o seu dom Sebastião. Até a lotaria da Misericórdia é uma forma de Sebastianismo. Eu todas as manhãs, mesmo sem ser de nevoeiro, espreito, a ver se chega o meu".

Na chegada à casa do tio Adrião, Jacinto, afinal, conheceu a bela Joaninha:

> *Mas, à porta, que de repente se abriu, apareceu minha prima Joaninha, corada do passeio e do vivo ar, com um vestido claro um pouco aberto no pescoço, que fundia mais docemente, numa larga claridade, o esplendor branco da sua pele, e o louro ondeado dos seus belos cabelos – lindamente risonha, na surpresa que alargava os seus largos, luminosos olhos negros, e trazendo ao colo uma criancinha, gorda e cor-de-rosa, apenas coberta com uma camisinha, de grandes laços azuis.*
>
> *E foi assim que Jacinto, nessa tarde de Setembro, na Flor da Malva, viu aquela com quem casou em Maio, na capelinha de azulejos, quando o grande pé de roseira se cobrira todo de rosas.*

Com o casamento, o personagem se tornava um homem bem diferente daquele jovem macilento, sem força de vontade, como contava o Zé Fernandes ao visitá-lo cinco anos depois:

> *E agora, entre roseiras que rebentam, e vinhas que se vindimam, já cinco anos passaram sobre Tormes e a Serra. O meu Príncipe já não é o último Jacinto, Jacinto ponto-final – porque naquele solar que decaíra, correm agora, com soberba vida, uma gorda e vermelha Teresinha, minha afilhada, e um Jacintinho, senhor muito da minha amizade. E, pai de família, principiara a fazer-se monótono, pela perfeição da beleza moral, aquele ho-*

mem tão pitoresco pela inquietação filosófica, e pelos variados tormentos da fantasia insaciada. (...)

Também a paternidade lhe despertara a responsabilidade. Jacinto possuía agora um caderno de contas, ainda pequeno, rabiscando a lápis, com falhas, e papeluchos soltos entremeados, mas onde as suas despesas, as suas rendas se alinhavam, como duas hostes disciplinadas.

(...) Dois meses antes de nascer a Teresinha, uma tarde, entrou pela avenida de plátanos uma chiante e longa fila de carros, requisitados por toda a freguesia, e acuculados de caixotes. Eram os famosos caixotes, por tanto tempo encalhados em Alba de Tormes, e que chegavam, para despejar a Cidade sobre a Serra. Eu pensei: – Mau! o meu pobre Jacinto teve uma recaída! Mas os confortos mais complicados, que continha aquela caixotaria temerosa, foram, com surpresa minha, desviados para os sótãos imensos, para o pó da inutilidade (...) Mas, decorridas semanas, tremi. Aparecera, vindo de Lisboa, um contramestre, com operários, e mais caixotes, para instalar um telefone!

– Um telefone, em Tormes, Jacinto?

O meu Príncipe explicou, com humildade:

– Para casa de meu sogro!... Bem vês.

Notei que Jacinto conquistara um equilíbrio definitivo graças ao casamento com uma moça que era digna representante de sua terra, aos filhos que amava e à perfeita integração com a população local. Contribuiu também para esse equilíbrio o modo como ele passou a gerir os negócios de sua propriedade. Se antes era um perdulário, agora equilibrava as contas anotando as despesas numa caderneta e mostrava tino administrativo ao tratar de questões práticas da lavoura, ao saber as épocas exatas do plantio. Além disso, ele conseguiu finalmente unir o tradicional ao moderno, respeitando os usos e os costumes da serra e, ao mesmo tempo, cercando-se de confortos, como os macios sofás trazidos de Paris e o telefone, que facilitava as comunicações.

No último capítulo do livro, o Zé Fernandes, sozinho, voltava a Paris. Chegando lá, ficava horrorizado com a cidade e principalmente com seus habitantes grotescos e cheios de falsidade:

> *Aquele Boulevard reçumava para mim um bafo mortal, extraído dos seus milhões de micróbios. De cada porta me parecia sair um ardil para me roubar. Em cada face avistada à portinhola dum fiacre, suspeitava um bandido em manobra. Todas as mulheres me pareciam caiadas como sepulcros, tendo só podridão por dentro. E considerava duma melancolia funambulesca as formas de toda aquela Multidão, a sua pressa áspera e vã, a afetação das atitudes, as imensas plumas das chapeletas, as expressões postiças e falsas, a pompa dos peitos alteados, o dorso redondo dos velhos olhando as imagens obscenas das vitrinas. (...)*
>
> *Em toda a sua nobre e formosa largueza, toda verde, com os castanheiros em flor, corriam, subindo, descendo, velocípedes. Parei a contemplar aquela fealdade nova, estes inumeráveis espinhaços arqueados, e gâmbias magras, agitando-se desesperadamente sobre duas rodas. Velhos gordos, de cachaço escarlate, pedalavam, gordamente. Galfarros esguios, de tíbias descarnadas, fugiam numa linha esfuziada. E as mulheres, muito pintadas, de bolero curto, calções bufantes, giravam, mais rapidamente ainda, no prazer equívoco da carrei-*

ra, escarranchadas em hastes de ferro. E a cada instante outras medonhas máquinas passavam, vitórias e faetontes a vapor, com uma complicação de tubos e caldeiras, torneiras e chaminés, rolando numa trepidação estridente e pesada, espalhando um grosso fedor de petróleo. Segui para o 202, pensando no que diria um grego do tempo de Fídias, se visse esta nova beleza e graça do caminhar humano!...

Para finalizar, o Zé Fernandes foi até o palacete do 202. Ao percorrer os salões vazios, atulhados de máquinas inúteis, ele fez uma interessante reflexão sobre o envelhecimento precoce das coisas modernas:

E então, passeando através das salas, realmente me pareceu que percorria um museu de antiguidades; e que mais tarde outros homens, com uma compreensão mais pura e exata da Vida e da Felicidade, percorreriam, como eu, longas salas, atulhadas com os instrumentos da Supercivilização, e, como eu, encolheriam desdenhosamente os ombros ante a grande Ilusão que findara, agora para sempre inútil, arrumada como um lixo histórico, guardado debaixo da lona.

E o romance terminava com o retorno do Zé Fernandes a Tormes. Chegando lá, passou para o Jacinto as impressões negativas que a civilização lhe provocara durante a viagem e concluiu que:

(...) me parecia que, por aqueles caminhos, através da natureza campestre e mansa – o meu Príncipe, atrigueirado nas soalheiras e nos ventos da Serra, a

minha prima Joaninha, tão doce e risonha mãe, os dois primeiros representantes da sua abençoada tribo, e eu – tão longe de amarguradas ilusões e de falsas delícias, trilhando um solo eterno, e de eterna solidez, com a alma contente, e Deus contente de nós, serenamente e seguramente subíamos – para o Castelo do Grã-Ventura!

Fechei o livro e comecei a pensar em minha leitura, feita em meio a tantos atropelos. Como já disse, tinha lido outros livros do Eça de Queirós, mas *A cidade e as serras* destoava deles todos. Não só pela crítica aos tempos modernos, mas também pelo otimismo, pela crença no homem. A prova disso estava no final feliz do romance, quando o personagem encontrava um perfeito equilíbrio depois de passar pela experiência negativa da vida numa grande cidade. Outra coisa de que eu havia gostado muito eram as reflexões do Zé Fernandes sobre a crescente desumanização do homem, provocada pelo distanciamento da natureza, pela perda dos valores autênticos como o amor, a amizade, a simplicidade.

Estava imerso nesses pensamentos, quando bateram na porta do meu quarto. Quem é que vinha me visitar? O Nando? O Jayme?

– Entra! – gritei.

Para minha surpresa, para minha grande alegria, quem aparecia era a Ana Cláudia! Ela se aproximou de mim com uma caixa de bombons nas mãos.

– Oi, Joãozinho.

Ela se abaixou e me deu um beijo no rosto.

– Como é que você está passando?

Senti vontade de falar que, naquele momento, com a

visita dela, estava me sentindo muitíssimo bem, mas a única coisa que saiu foi:

– Mais ou menos...

– Ah, que bom. Acho que você está melhorando, né?

Ela ficou em silêncio, só olhando para mim. Depois disse:

– Trouxe uns bombons especiais de chocolate com menta. Afinal, você precisa recuperar as forças!

A Aninha sentou-se a meu lado e pediu que eu contasse toda nossa aventura. Foi o que fiz, descrevendo, em detalhes, o acidente, as dificuldades por que passamos – a fome, o frio, a picada dos insetos –, como conseguimos alimento, água... Quando acabei de falar, ela franziu o rosto e confessou:

– Quando soube que vocês tinham se perdido, fiquei muito aflita... Quase todo dia ligava aqui pra sua casa...

Meu coração começou a bater mais forte.

– Sabe, Joãozinho... – ela voltou a falar. – Aquelas coisas que disse pra você... Que a gente tinha que dar um tempo... Eu pensei muito e cheguei à conclusão de que te amo... Que não posso mais viver sem você. Só de pensar que eu podia te perder, fiquei com o coração na mão...

Reparei que ela estava com os olhos úmidos, como se fizesse um esforço muito grande para não chorar. Peguei a mão dela e disse:

– Também pensei muito em você, Aninha. Até cheguei a ter pesadelos...

– Pesadelos? Comigo? – a Aninha se espantou.

Contei a ela como tinham sido os pesadelos. A Ana Cláudia caiu na risada:

– Seu bobão! Não te disse que, a não ser você, não tinha ninguém na minha vida? – ela fez uma pausa e perguntou: – Então, você me quer de volta?

– Só se você me der um beijo... – brinquei.

A Aninha se abaixou e me deu um beijo que me levou a um paraíso parecido com o do Jacinto. O Paraíso da Grã-Ventura!

A Ana Cláudia foi embora, depois de a gente combinar um encontro no dia seguinte. Queria ir ao cinema, comer um sanduíche numa lanchonete qualquer. Queria ficar com ela. Queria recuperar o tempo perdido. Ah, eu estava feliz, muito feliz! Ainda mais depois de tudo por que havia passado.

Mas, e meus amigos? Por onde andavam eles? Será que tinham se recuperado totalmente do acidente? Estava pensando nisso quando o telefone tocou na sala. Minha mãe abriu a porta do quarto e disse que o telefonema era para mim.

– E então, seu dorminhoco? Quando é que sai da cama? – disse o Jayme, me gozando.

– Já saí da cama.

– Ué, o que você está fazendo fechado em casa?

– É a minha mãe. Ela acha que ainda não estou totalmente curado. Mas amanhã, ela querendo ou não, deixo meu quarto. Não aguento mais ficar aqui!

– Ótimo. Telefonei pra te fazer um convite...

– Convite? Convite pra quê?

– Hummm, digamos que é uma surpresa... Amanhã bem cedo, o motorista passa aí pra te pegar. A gente se encontra aqui em casa, tá legal?

• 14 •

A grande surpresa

No dia seguinte foi um sufoco convencer minha mãe de que eu já podia sair de casa. Ela teimou comigo, dizendo que eu ainda estava me recuperando de uma doença grave, mas fui mais teimoso ainda. Não só queria sair do meu quarto para me encontrar com a Aninha, como também estava muito curioso para saber qual era a grande surpresa do Jayme. Minha mãe acabou cedendo, mas me obrigou a vestir uma malha de lã, um casaco de veludo e uma boina, ainda que não fizesse tanto frio assim.

O motorista me pegou em casa bem cedo, mas ficamos retidos um tempão num engarrafamento. Puxa vida! Um percurso que, a pé, levaria no máximo uns vinte minutos! Eram as maravilhas da cidade grande que eu voltava a experimentar...

Quando cheguei na casa do Jayme, fui avisado de que ele havia saído, mas que logo retornaria. Entrei e, como já conhecia muito bem o apartamento, fui atravessando as salas e os corredores até chegar à escada que dava para o andar superior, onde ficava o quarto dele.

Para minha surpresa, reparei que algumas coisas haviam

mudado. Nas paredes, em vez dos pôsteres de bandas de rock, havia grandes fotos e pinturas de paisagens. Numa mesa que dominava boa parte do quarto, havia uma folha de papel aberta com o desenho de plantas arquitetônicas ao lado de uma maquete. Ué, o que aquilo estava fazendo ali? Pelo que eu sabia, o Jayme nunca tinha mostrado interesse por arquitetura ou engenharia...

Estava examinando aquilo tudo quando o Jayme chegou, acompanhado do Nando e da Lucinha. Eles fizeram a maior festa quando me viram:

– A múmia deixou o sarcófago! – berrou o Nando, me dando um tapa tão forte nas costas que quase caí de quatro.

Mais gentil, a Lucinha me beijou e disse com a doçura de sempre:

– Ah, você não sabe como fico feliz em te ver de novo!

Eles então me contaram que haviam tentado me visitar no hospital, mas como meu estado de saúde ainda inspirava cuidados, tiveram que esperar. Depois, tentaram fazer isso na minha casa. Mas minha mãe – sempre ela, com suas manias! – também não deixou, alegando que eu não podia ficar agitado.

– Enfim, meu caro, só ontem é que soubemos que você estava melhor – disse o Jayme, para depois completar: – Mas antes tarde do que nunca! Você ressuscitou bem a tempo de participar do lançamento.

– Lançamento?! Lançamento do quê?

– Da surpresa que lhe prometi. Você irá presenciar tudo. Vamos lá.

Deixamos o apartamento do Jayme e entramos no carro que nos esperava na rua. Quando o motorista deu a partida, perguntei:

– Aonde a gente vai?

– Calma, Joãozinho... calma... – disse o Jayme, dando uns tapinhas na minha mão.

Pouco depois, chegamos à fábrica do pai dele, mas, em vez de entrar no pátio, o carro parou diante da pequena favela. Saímos do automóvel e nos embrenhamos pelas ruelas, entre os barracos, com o Jayme sempre à frente, nos guiando. Percebi que, durante a caminhada, as pessoas da comunidade nos seguiam. Pareciam alegres. De vez em quando, um foguete estourava. Reparei também que as ruelas estavam enfeitadas com bandeirolas. Quando, afinal, paramos numa pracinha, vi uma construção toda colorida, com um jardim, um parquinho na frente e muitas crianças, que jogavam futebol, brincavam de roda, corriam em torno de uma mesa com sanduíches, bolos, doces e refrigerantes.

O Jayme abriu os braços, dizendo:

– A minha surpresa!

– Mas... o que é isso? – perguntei, espantado.

– Vamos lançar a pedra fundamental da creche Jayme Barcellos!

O Jayme procurou se desculpar pelo fato de seu nome aparecer na creche:

– Eu não queria pôr o meu nome, mas o pessoal da comunidade insistiu, só porque a ideia foi minha. Mas isso é um pequeno detalhe. O mais importante é que vou entrar de cabeça no projeto que meu pai já tinha começado. Logo logo vamos revitalizar toda essa zona aí, derrubando os barracos e construindo prédios de apartamento, fazendo praças, despoluindo o rio...

O Jayme dizia aquilo com muito entusiasmo, irradiando energia. Por isso mesmo, parecia outra pessoa, bem distante daquele garoto indeciso, indiferente, que nunca se mostrava contente com as coisas. E que, sendo indolente e não tendo propriamente um ideal de vida, pouca importância dava ao meio ambiente e à miséria do próximo. Era mesmo uma mudança e tanto!

O Jayme pôs a mão no meu ombro e começamos a andar, dando a volta em torno do prédio da creche. Num determinado ponto, ele parou e, olhando bem para mim, disse:

– Joãozinho, devo confessar que tudo isso está acontecendo por conta de tudo o que a gente passou lá na serra. Aprendi a respeitar e a conviver com a natureza, a valorizar as coisas simples da vida. Ao mesmo tempo, a leitura de *A cidade e as serras* serviu para abrir meus olhos para uma feia realidade que eu não via ou não queria ver. Agora, vendo e querendo ver, fico feliz de poder realizar um sonho.

Ele fez uma pequena pausa e depois continuou a falar:

– Sabe aquele incidente na lagoa? Juro que pensei que fosse morrer! Enquanto estava lá, agarrado naquela pedra, vi que minha vida era absolutamente inútil. Que, se eu caísse daquele barranco e morresse, não deixaria nada que valesse a pena. Foi aí que decidir mudar. Porque, afinal, pra que a gente veio pra este mundo, né?

Um funcionário da fábrica se aproximou do Jayme e disse que a cerimônia ia começar. Fiquei ali sozinho, refletindo sobre as grandes transformações pelas quais meu amigo tinha passado. Que maravilha! Os incidentes daquela viagem que, apesar do susto, catalisara várias mudanças em todos nós, e o romance do Eça de Queirós, haviam realizado um milagre e tanto. Transformaram um garoto indiferente, apático, numa pessoa cheia de energia, pronta a ajudar o próximo, a lutar por uma causa das mais nobres.

O Jayme tinha muita sorte, porque era raro que as pessoas se modificassem tanto assim. E para o bem! Refletindo sobre isso, não pude deixar de recordar de dois versos, em latim, do poeta romano Virgílio, que o Zé Fernandes havia dedicado ao Jacinto. Fazendo uma pequena mudança neles, recitei primeiro em latim, para o espanto das pessoas:

– *Fortunate* Jayme! *Hic, inter arva nota et fontes sacros, frigus captabis opacum*!

Depois, bradei bem alto, em português:

– Afortunado, Jayme! Agora, entre campos que são teus e fontes que te são sagradas, colhes enfim a sombra e a paz!

Outros olhares sobre *A cidade e as serras*

Depois de acompanhar a incrível aventura de Joãozinho, Jayme, Nando e Lucinha, nas próximas páginas você irá conhecer mais sobre A cidade e as serras, *seu autor, Eça de Queirós, e alguns tópicos presentes no livro – como a relação entre a cidade e o campo – que encontram ecos em obras de outras épocas.*

Mais do que uma questão de gosto

A importância de Eça de Queirós para a literatura portuguesa é inegável. Dotado de um humor fino, muitas vezes sarcástico, e de muita criticidade, Eça começou sua carreira em um período especial pelo qual passava a sociedade lusitana: um momento em que os românticos se agarravam aos seus escritos anacrônicos e se recusavam a propor novidades literárias. Essa geração romântica, porém, seria desbancada por uma geração revoltada contra tal anacronismo: os realistas – a quem, embora tenha começado com alguns escritos românticos, Eça logo se juntaria.

Um grupo de estudantes da Universidade de Coimbra, liderados por Antero de Quental (1842-1891), tumultuava o conservadorismo acadêmico com o objetivo de derrubar os antigos cânones românticos. Animado com as ideias anárquicas de Pierre-Joseph Proudhon, filósofo francês e um dos principais teóricos do anarquismo no século XIX, Antero de Quental publicou *Odes modernas* (1865), livro de poemas cujo caráter revolucionário perturbou os escritores românticos da época. A reação não tardou a aparecer.

No mesmo ano, o escritor Pinheiro Chagas lançou "O poema da mocidade" e convidou Antônio Feliciano de Castilho, seu mestre e admirado escritor romântico, para escrever o posfácio. Castilho valeu-se da oportunidade para elogiar a poética do seu pupilo e também para atacar o grupo de jovens intelectuais liderados por Antero de Quental. A réplica foi imediata. Em um texto chamado "Bom senso e bom gosto", Quental revida as críticas que recebera com uma irreverência cáustica. As últimas linhas do texto, que se referem a Castilho, dão a medida do tom da resposta:

A futilidade num velho desgosta-me tanto como a gravidade numa criança. V. Ex.ª precisa menos cinquenta anos de idade, ou então mais cinquenta anos de reflexão.

Tal episódio, conhecido como Questão Coimbrã, ou Questão de Bom Senso e Bom Gosto, tornou-se o marco do realismo em Portugal.

Depois de amadurecerem propostas e convicções, os jovens escritores realistas organizaram, em 1871, uma série de conferências de cunho político com o objetivo de inserir Portugal no contexto cultural europeu. Afinal, enquanto países como França e Inglaterra começavam a viver aceleradamente o futuro com suas metrópoles urbanizadas mostrando o efeito da expansão industrial, Portugal continuava ancorado no passado. O local escolhido para as conferências foi o Cassino Lisbonense, um café localizado na parte nobre de Lisboa. Em 6 de junho daquele ano, Eça de Queirós, que apenas observara a Questão Coimbrã, realizou a quarta conferência do Cassino.

Biblioteca Nacional de Portugal

A litografia de 1844 mostra a paisagem rural, típica de uma província, da cidade de Lisboa.

Eça, o romancista do realismo

José Maria Eça de Queirós nasceu em 25 de novembro de 1845 e faleceu em 1900. Assim como a maioria dos intelectuais portugueses da sua época, foi estudar em Coimbra, no curso de direito. Produziu vários folhetins, de orientação anárquica e positivista, publicados em 1905 sob o título de *Prosas bárbaras.*

A advocacia, como se vê, ocupava pouco espaço na vida de Eça, especialmente se comparada às atividades intelectuais e à boemia. Graças à ajuda do pai, preocupado com a falta de perspectiva do filho, Eça foi convidado a dirigir um semanário na província, o *Distrito de Évora*, onde acumulou várias funções, tomou maior consciência dos problemas do país e se preparou para dar o grande salto literário de sua vida.

Biblioteca Nacional de Portugal

Eça de Queirós em 1878. Na época, já era consagrado como um dos mais importantes escritores portugueses.

Com o objetivo de ingressar na carreira diplomática, Eça passou seis meses em Leiria, como administrador do distrito. O semestre vivido na pequena cidade, sob o impacto do mundo provinciano e hipócrita, além de facilitar-lhe a aprovação na carreira diplomática, serviu de inspiração para a produção de seu primeiro romance realista, *O crime do padre Amaro*, em 1875.

A obra de Eça de Queirós é dividida, segundo o crítico Massaud Moisés, em três partes. A primeira, chamada de "fase de preparação", destaca principalmente a coletânea de folhetins, *Prosas bárbaras*, e o romance policial publicado em parceria com Ramalho Ortigão, *O mistério da estrada de Sintra* (1871).

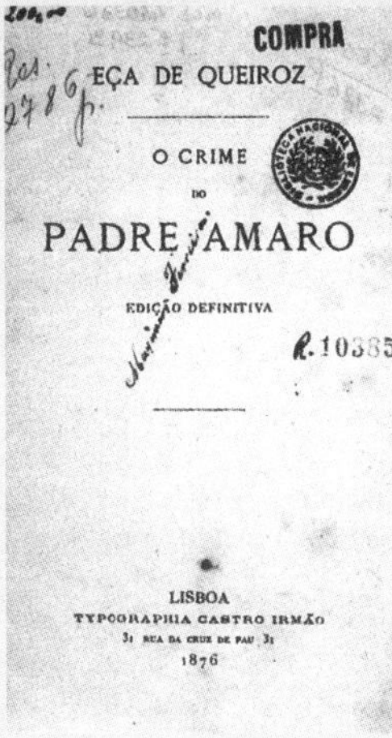

EÇA DE QUEIROZ

O CRIME DO PADRE AMARO

EDIÇÃO DEFINITIVA

LISBOA
TYPOGRAPHIA CASTRO IRMÃO
1876

Instituto Camões

Frontispício da primeira edição de *O crime do padre Amaro*.

O segundo momento inicia-se com o romance *O crime do padre Amaro* e termina com a publicação, 13 anos depois, de *Os Maias*. Essa fase ficou marcada pelo ataque direto às instituições responsáveis pelo atraso cultural de Portugal: a Igreja, a monarquia e a burguesia.

A principal arma utilizada contra tal conservadorismo é a

crítica – operada por meio de descrições objetivas e sarcásticas – do quadro social lusitano. Além de *O crime do padre Amaro*, que ataca o clero ao narrar a história de um padre corrupto e sedutor, outra obra típica dessa fase queirosiana é *O primo Basílio* (1878), romance citadino que revela o adultério sendo praticado em um lar burguês. Com a publicação de *O mandarim* (1879), *A relíquia* (1887) e *Os Maias* (1888), encerra-se a segunda fase da produção de Eça.

A terceira fase corresponde a um período otimista do escritor, em que os valores negados na fase anterior são retomados. Desta vez, entretanto, procuram revelar uma imagem positiva de Portugal. Eça chega, inclusive, a escrever um elogio póstumo ao rei e um artigo em que exalta a rainha. Os principais livros atribuídos a essa terceira fase são: *A ilustre casa de Ramires* (1900), *A correspondência de Fradique Mendes* (1900) e *A cidade e as serras* (1901). Neste último romance, como vimos, Eça aponta o resgate de valores do campo como a solução para a enfermidade citadina, para a revitalização da metrópole, para o crescimento moral de Portugal.

Campo x cidade: assunto para muitos e muitos capítulos

Tal como os personagens de *No alto da serra* perceberam, a temática central de *A cidade e as serras* é o confronto entre a vida civilizada e progressista da cidade e a vida pacata, bucólica, do campo. Segundo a análise do crítico literário Antonio Candido no ensaio "Entre campo e cidade", essa temática é uma questão que acompanha toda a obra de Eça de Queirós.

Como vimos anteriormente, no início de sua carreira o escritor português ataca o conservadorismo da vida provinciana para, nos últimos romances, afirmar os valores positivos do campo. O percurso de Jacinto, de *A cidade e as serras*, que inicia o romance supervalorizando a vida citadina em detrimento da vida do campo, é, de certa maneira, o percurso do escritor realista durante sua trajetória literária.

A primeira grande produção literária de Eça de Queirós, *O crime do padre Amaro*, representa a visão metropolitana sobre o campo. Nessa obra, o autor tece uma crítica feroz ao conservadorismo e à estagnação da vida campesina. Nas palavras de Antonio Candido: "n'*O crime do padre Amaro* a vida provinciana é literalmente arrasada, e o ex-administrador do conselho de Leiria personifica nos seus administrados todo o vício da província (...)".

Já em *Os Maias*, Eça de Queirós revela uma perspectiva diferente em relação à temática campo/cidade: Lisboa aparece como uma cidade atrasada. Tal atraso cultural é criticado pelos personagens virtuosos do romance, "os homens de espírito". O campo, por sua vez, gera vitalidade e energia moral, representadas pelo patriarca Afonso da Maia.

Da mesma forma que em *A cidade e as serras*, em *A ilustre casa de Ramires* a vida na metrópole é carregada de vícios e futilidades modernas. O campo surge como alternativa saudável e redentora, um verdadeiro oásis no deserto fútil e neurótico da cidade.

Dois homens do campo

Uma natureza acolhedora, pronta para sossegar o espírito dos homens e fazer com que eles retomem sua essência, tão rarefeita na modernidade. Tal pensamento encontra ecos em obras de outros escritores além de Eça de Queirós? Veremos a seguir.

O poeta português Fernando Pessoa (1888-1935) criou dezenas de heterônimos: personagens com qualidades definidas e, principalmente, estilos literários inconfundíveis. Alberto Caeiro foi o mais importante heterônimo de Pessoa. Criado em 8 de março de 1914, transformou-se no mestre de outras duas importantes criações: Ricardo Reis e Álvaro de Campos. De acordo com o que definiu Pessoa, Caeiro frequentou apenas a educação primária e nasceu no campo, onde permaneceu até os últimos meses de vida, quando foi para Lisboa e escreveu seus poemas, reunidos sob o título de *O guardador de rebanhos* (1914).

Em sua poética, Alberto Caeiro traz a chave-mestra que apazigua as angústias presentes na alma de Fernando Pessoa e na de seus outros heterônimos.

Tal chave libertadora é, ao mesmo tempo, simples e complexa. Simples porque pode ser sintetizada em uma única lição: abandonar o pensamento e limitar-se à contemplação dos sentidos. Complexa porque o pensamento, sobretudo para os ocidentais, é uma parte indissociável do ser.

A maneira caeiriana de encarar a vida inverte os valores da teoria platônica. Para o filósofo

Platão (428-347 a.C.), todas as coisas do mundo sensível – apreensíveis pelos cinco sentidos – são cópias de um mundo superior, chamado mundo das ideias. Dessa forma, as ideias são manifestações puras, vindas de um plano superior. A concretização de tais manifestações no plano físico seria a deturpação das ideias. O exemplo mais claro dessa teoria é o amor. O amor platônico é o sentimento que nunca se realiza no plano físico: ele é ideal, elevado e perfeito, já que não se concretiza.

Almada Negreiros / Arquivo da Editora

Desenho representando Alberto Caeiro.

Para Caeiro, o mundo material é a realidade, a verdade, enquanto o pensamento é a ilusão, a causa das angústias humanas. Em *A cidade e as serras*, Jacinto, inicialmente mergulhado em tédio e melancolia, busca na leitura dos filósofos pessimistas, no conforto tecnológico, nas frívolas reuniões sociais da metrópole francesa, o vigor ("suma potência") da civilização. Sem esperanças, recorre à vida pacata e simples de Tormes, onde acaba por encontrar de forma caeiriana a paz dos seus conflitos e a cura de suas angústias.

O poema "O Tejo é mais belo", de Caeiro, expõe claramente a oposição campo/cidade desenvolvida por Eça de Queirós em *A cidade e as serras*:

O Tejo é mais belo que o rio
que corre pela minha
aldeia,
Mas o Tejo não é mais belo
que o rio que corre pela
minha aldeia
Porque o Tejo não é o rio
que corre pela minha
aldeia.

O Tejo tem grandes navios
E navega nele ainda,
Para aqueles que veem em
tudo o que lá não está,
A memória das naus.

O Tejo desce de Espanha
E o Tejo entra no mar em
Portugal.

Toda a gente sabe isso.
Mas poucos sabem qual é o rio da minha aldeia
E para onde ele vai
E donde ele vem.
E por isso porque pertence a menos gente,
É mais livre e maior o rio da minha aldeia.

O eu lírico compara o glorioso Tejo ao anônimo rio que corta a aldeia e diz que prefere o rio livre das glórias, pois ele é livre também de pensamentos. A diferença entre os rios, nesse poema, pode funcionar como a discrepância entre metrópole/campo provinciano presente em *A cidade e as serras*: é em contato com a história de sua família, e não com a história do mundo, que Jacinto encontra o sentido de sua existência.

Informação e confusão

Se os poemas e o ponto de vista de Alberto Caeiro mostram a importância da volta à natureza para que o homem possa chegar à sua essência verdadeira, como é que a cidade, a civilização, a tecnologia, com todas suas características peculiares, seriam representadas em obras de arte? Quais os fatores presentes em tal ambiente influenciariam o ser humano, fazendo com que descubra a si mesmo?

A obra *Babel*, do artista plástico Cildo Meireles, montada pela primeira vez em 2001, é uma instalação construída a partir do empilhamento de vários rádios sintonizados em diferentes estações do mundo inteiro.

A obra faz referência ao episódio bíblico da torre de Babel, em que se narra a tentativa de construção de uma imponente torre, cujo objetivo é alcançar o céu, espaço divino. Ao perceber a ousadia e a prepotência dos homens, Deus acaba com suas intenções, determinando que cada trabalhador fale um idioma diferente. A ironia da narrativa bíblica é que a torre de Babel tinha a finalidade de ser, por meio de demonstrações de poder de seus construtores, um marco da união dos homens. Com o castigo divino, porém, os homens se dispersaram pelo mundo, incapazes de se comunicar.

Analisando a obra de Cildo Meireles, podemos achar, em um primeiro momento, que os vários sons emitidos pelos rádios representam o espírito democrático. A liberdade de expressão é um dos pilares da sociedade neoliberal, que encontra na metrópole moderna seu principal

Adrian Hernandez / El Universal / Getty Images

A obra *Babel* mostra a inabilidade de comunicação pelo excesso de informações, que torna os homens ilhados. Essa crítica já está presente em *A cidade e as serras.*

espaço de materialização. Nas grandes cidades existe, pelo menos no discurso, a defesa do cosmopolitismo, da aceitação de várias etnias e grupos sociais variados. Mas isso é verdade? Não é o que João e seus amigos discutem depois de verem São Paulo de cima; ou mesmo quando visitam a moderna fábrica do pai de Jayme e encontram uma favela ao lado – um grande disparate econômico-social.

No entanto, a partir de uma análise mais atenta de *Babel*, percebemos que tal espírito democrático revela-se apenas aparente: se é verdade que há liberdade para a manifestação das várias programações, também é verdade que as várias vozes que compõem a obra são inaudíveis. Existe na obra, portanto, uma diversidade cultural de fachada: se as vozes dessa cultura não são compreensíveis, como dizer que essas vozes se expressam de fato?

A mídia, muitas vezes, saturando os espectadores, leitores ou ouvintes de informações, tem efeito semelhante ao pretendido pela obra *Babel*: em vez de formar cidadãos críticos, gera pensamentos inócuos e confusos.

A saturação de informações que a obra de Cildo Meireles critica é a mesma saturação que Eça de Queirós atribui a Paris (que representa as metrópoles, cada vez mais industrializadas, urbanizadas e tecnológicas, do século XIX) em *A cidade e as serras.* O excesso de informações não promove uma atitude transformadora em Jacinto. A cada leitura dos mais diversos livros, jornais e revistas, nos mais diversos idiomas, ele parece mais preso no mesmo círculo vicioso, no qual o conhecimento nada mais é do que um item de consumo. Assim, o excesso de informações que Jacinto adquire de forma voraz parece anular o sentido transformador do conhecimento – assim como na obra de Cildo Meireles as várias vozes se anulam umas às outras.

Qual é, enfim, a fórmula para encontrar a felicidade e a verdadeira essência de cada um de nós? Viver no burburinho da civilização, equipando-se com as mais modernas novidades tecnológicas, acompanhando as mais vanguardistas obras de arte? Ou isolar-se no campo, buscando no contato ancestral com a natureza a pacífica resposta para todas as dúvidas e a cura de todas as angústias?

Em *A cidade e as serras*, mais do que uma única resposta, o que Eça de Queirós propõe são caminhos, sempre permeados por seu estilo literário impecável. Depois de acompanhar as aventuras e peripécias de Jacinto, ora engraçadas, ora melancólicas, o leitor percebe que todos os caminhos levam ao equilíbrio. E que cada um, tecnólogo ou pastor, pode descobrir o seu lugar no mundo – desde que deposite nele toda sua veracidade.

Camille Pissarro / Museé Saint-Remy, Reims, France / Erich

Vista das alamedas de Paris, em meados do século XIX. O poeta francês Charles Baudelaire (1821-1867) cria o *flâneur*, personagem que anda solitário pelas ruas da cidade procurando experimentá-la. Nos seus passeios, evidenciam-se a solidão e o isolamento dos indivíduos que a modernidade acarreta – típicos, também, da experiência de Jacinto em *A cidade e as serras*.